異形《いぎょう》の将軍 上

Igyō no Shōgun

田中角栄の生涯

Tsumoto Yō
津本陽

幻冬舎

異形《いぎょう》の将軍　田中角栄の生涯（上）

目次

22万票　5
越後富士　25
発展のいとぐち　71
軍隊へ　119
あらたな出発　149
挫折をこえて　201
只見　247
郵政大臣　269
政権の中枢へ　295

装幀　菊地信義

22万票

シベリアから下りてくる寒波が、大気のなかに張りつめ、襟巻きをしていても、氷片をさしこまれるように、みぞれまじりの雪を運ぶひえきった風が喉《のど》もとに入りこんでくる。

昭和五十八年十二月三日、新潟県長岡市の街頭で、着ぶくれたコート姿にゴム長靴をはいた男が、ライトバンの外に下り立ち、ハンドマイクがこわれんばかりのすさまじい怒声を、雪雲の垂れこめた空の下ではじけさせていた。

周囲は黒山の人垣で、そのなかに立つ男の姿は、前列の者にしか見えない。

機関銃の銃声のように叩きつけてくる怒号は、はじめて聞く人をも、何事であろうかと立ち止まらせる、迫力にあふれていた。

「ロッキードの判決は、皆さんがご存じの通りである。私は会ったこともないロッキード社副社長コーチャンの証言によって、有罪とされた。コーチャンには弁護士の反対尋問をゆるさない、いわゆる免責の措置がとられている。

法治国家として、ありうべからざる、推論で人に罪をかぶせるようなことは、絶対に許せん。

政治倫理とは、他人に求めることではなく、自らが神に恥じない行動をとることだ。私は虎ばさみにかけられたのだ。

足をとられたほうが悪いのか、虎ばさみを仕掛けたほうが悪いのか、後世の学者が判断するものだ。私は断じて何もしておりません。私が十年間じっとしているうちに、日本はマイナスばかり目立つようになった。当選したら、私がいろんな法案を立案して、日本の改革に着手する」

虎のように咆哮《ほうこう》しているのは、田中角栄であった。

彼は十月十二日午前、ロッキード丸紅ルートの裁判において、収賄罪により懲役四年、追徴金五億円の判決をうけた。

緊張したとき、顔を紅潮させる癖のある田中角栄が、むくんだ顔でこのときは蒼《あお》ざめ、強烈なショックをあらわした。

彼は早坂秘書を通じ、つぎの所感を発表した。

一、本日の東京地裁判決は極めて遺憾である。私は第一回公判における陳述で、「法の正当な手続きによって真実をあきらかにし、違法な行為がなかったことを、裁判所の法廷を通じて証明することが、厳粛な国民の信託をうけている者としての義務である」と誓った。

私の信念と立場は今もおなじである。（中略）私は内閣総理大臣の職にあった者として、その名誉と権威を守り抜くため、今後とも不退転の決意で戦い抜く。

判決のあと、午後二時過ぎに田中角栄の乗ったクライスラーは東京地裁玄関前を離れ、二十分ほどのちに、目白台の私邸に猛スピードで到着した。

角栄は事務所奥のホールで、彼を待っていた田中派議員約八十人を前に、マイクを手に話を始めた。

「今日は私にとって、楽しい日ではありませんでした。皆さんにも心配をかけてすまなかった」

角栄は顔を紅潮させ、口調がはげしくなった。

「私は判決をうけるまで、裁判のことをあれこれ申し上げなかった。しかし、判決をうけたからには、不満な点をはっきり申し上げたい。

こんな判決になるとは、自分としては納得ならない。我がほうのいい分を聞かずに、一方的な判決を下された感じだ。

元内閣総理大臣の職にあった者であるがゆえに、身の潔白を天下に明らかにすることが私の責任だ。

信念をつらぬき、法廷を通して闘ってゆきたい。疑われたままではいやだし、何とか身の潔白を証明したい。

このままでひっこむわけにはゆかない。公人として筋を通すのだ」

一審有罪判決のあった日から十日目の十月二十一日、朝日新聞に、元最高裁長官岡原昌男氏の感想が掲載された。
「無罪推定論は、刑事訴訟法を形式的にとらえればその通りかもしれないが、一審判決の重みを全く理解しない論だ。控訴審、上告審は、審理のやり直しではなく、新事実の主張があれば、その点だけを調べるだけにすぎない。

このため、上級審で逆転無罪となるケースはほとんどなく、一審判決はそれほど重いのだ。まして、岡田判決は七年にもわたり審理を十分尽くしており、請託、五億円授受の事実認定、職務権限についての解釈も完ぺき。高裁、最高裁で覆ることは、法律家の誰がみても、百パーセントあり得まい」

田中弁護団では、この感想に憤懣《ふんまん》の声があがった。毎週裁判をおこない、七年を要してようやく一審判決が出た事実は、この事件がさまざまな問題を包含した難事件であるのを、裏づけるものである。

この人物は自ら審理を担当したわけでもないのに逆転無罪は百パーセントあり得ないと放言する。司法官でありながら三審制を軽んずる発言は軽率はなはだしいというのである。

田中角栄は、元最高裁長官のコメントを見て、マスコミの煽《あお》りたてる世論の巨大な圧力を、鋭敏にかぎとっていた。

——俺《おれ》を社会から抹殺してしまわねば、国家の倫理秩序が崩壊するという、マスコミのつくりだした幻影の化けものが、動きだしているのだ。俺を総理にまで押しあげてきた世論が、こんどは押しつぶしにかかってきている――

選挙公示のまえに、角栄はお忍びでたびたび長岡に姿をあらわしたが、血の気を失った蒼白《そうはく》のふつか酔いの顔つきで、足どりもさだかではなかった。

総選挙は政治家にとって、真剣勝負である。どんなことがあっても勝ち抜かねばならない。競争者の足にしがみつき、生死を賭《か》けて戦い、勝者とならねば、落選と同時にそれまでの実績はすべてゼロになる。

元総理大臣という、国政の頂点に立った経歴は、落選のときには、没落の闇黒をあざやかに際立たせるばかりである。

角栄のイメージは本来、他の政治家にくらべ、際立って明るかった。金権政治家といわれるが、社会の裏面でうごめく暗い印象がない。それは集まってくる金を片っ端からばらまく陽性の気質に負うところが大きかった。

しかし、こんどは世論につぶされるかも知れないと、角栄は危惧《きぐ》していた。

判決が出るまえの昭和五十八年五月十五日の朝、角栄は見附市立見附小体育館でおこなわれた、見附、今町両越山会主催の後援会で、約三千人の越山会員を集め、講演をした。

一時間半の講演は、これまでくりかえし語ってきた「日本列島改造論」であった。

「郷土新潟の末長い繁栄は、まちがいありません。私は、代議士十四期を経験し、いろんな事業をやってきた。

しかし、まだまだやらねばならない事業はたくさんある。郷土発展のため、皆さんはこれからも事業で要求すべきは、この田中に要求すること。

その意思さえあれば、私はかならずやる。ロウソクの灯の消えないうちに、やってしまわねばならないことが多くあるのです」

角栄がロウソクの灯という、それまで口にしなかった弱気ともうけとれる発言を、しばしばするようになったのは、この前後からであった。

ロッキード問題の重圧が、六十五歳の角栄の心身にのしかかっていたのであろう。

昭和五十八年十二月二日、角栄元首相は今次選挙ではお国入りなしとの予定をくつがえし、新潟三区に戻った。この総選挙での活動は今までの〝辻説法〟戦術を一変、会場を信頼できる身内で固めた緊迫感あふれるものとなっていた。

そのとき、彼の顔色は蒼ざめ、日頃の艶《つや》がなかった。

総選挙をまえに、越山会は一体化した選挙マシンとなっていた。強大な行動力を擁する越山会の、地元責任者である本間幸一秘書は、かねてからいっていた。

「越山会はピラミッド型の上意下達型の組織ではない。円のような組織で、田中角栄も円のなかに入っている一人にすぎない。会員なのだ。要するに、田中という御輿《みこし》を担《かつ》ぐ後援会とはちがう」

選挙までに、越山会は票集めの原動力となる系列県議を最多で十三人そろえた。

ロッキード事件による田中逮捕のあと、裁判の長期化にそなえるため、越山会は青年部を中心にした組織強化を急ぎ、若手の系列県議をふやしていった。

越山会には同志的な結合があった。雪の克服を、田中に托す気持ちのつながりである。

「いねしょ（ここに住んでいない人）には分からね」

という考えが、越山会員の胸のうちにはある。これは七年前も同じだった。

◇

判決に先立つ七年前。昭和五十一年十一月二日、衆院ロッキード調査特別委員会で、丸紅を通じロッキード社から金をうけとったとされる、五人の政治家の実名が発表された。そのトップに田中角栄の名があった。

同月十五日、任期満了にともなう第三十四回総選挙が公示され、後にいわれる〝ロッキード選挙〟がはじまった。

角栄は、自らの希望で三区内を徹底的に辻説法をしつつまわった。彼はその日の朝、長岡市南町の「大石組」内に設置した事務所でおこなわれた必勝祈願祭、柏崎市の事務所開きに出席したのち、柏崎市内で辻説法の第一声を放った。

「不名誉な事件に巻きこまれ、国民、県民に迷惑をおかけした。しかし、ひとことでいえば、私は事件に関係ない。日米両国のためにも真相は解明されなければならない。公人として逃避は許されないことであり、私はあえて茨の道を歩んだ」

角栄は一日百五十キロから二百キロを移動し、五十カ所で辻説法をおこなった。演説のあとの握手攻めで、指輪をした婦人と握手するので、手の皮がすりむけ、血に染まった。投票前日まで、全行程は二千六百キロ、辻説法は五百回に及んだ。

十二月五日、開票の結果は十六万八千五百二十二票を得て、トップ当選を果たした。

昭和五十二年十月二十日より新潟日報に小川藤子「魚沼の女——ドキュメンタリー・ある投票行動」というノンフィクションノベルが掲載された。

「魚沼の女」のなかに、五十歳ぐらいの女性が登場する。彼女の語るところは、つぎのようなものである。

「〝ロッキード総選挙〟で、新潟三区は全国の注目の的となった。田中票はどれだけとれるか。三区住民の政治意識の低さを、表日本の新聞や、中央文化人たちは、声をそろえあざ笑った。みよは、こんなときこそ先生に恩返しをするのが、義理がたい越後人の美徳だと思いこんで疑わず、角さんの辻説法を、みぞれと寒風の吹きすさぶ六日町の街角で聞いた。

——先生のいわれることを信じよう——

最後に握手した手はあたたかかった。それは遠い幼女の日、ふたたびかえらぬ父が最後に頭を撫《な》でてくれた大きな手や、つらいとき肩を抱いてなぐさめてくれた夫の節くれだった手とおなじ、雪国農民の血のかよった感触であった。

都会の人間たちに、高熱にあえぐ子供を抱え、雪のなかですべもなく共に泣いた母の心がわかるか。一本の無雪道路が人の生命を救うありがたさがわかるか。東大出のえらい役人さんに、越後農民の気持ちがわかるか。……

みよはひたすらに心のなかでくりかえしていた。

昭和五十一年十二月五日。その日もみぞれの降る寒い朝だった。みよは投票所で、かじかむ手にハーッと息を吹きかけ、鉛筆を握りしめて、一字一字力をこめてかいた。

田中角栄……

いささかのためらいもなかった。

激動の昭和を生きた五十歳の女が投じた、雪の怨念《おんねん》のなかからの、十七万分の一の重い一票であった」

◇

新潟の村では、冬のあいだに十回から十五回の雪掘りをする。

雪おろしではない。雪に埋まってしまった家を掘りおこす。わが家と命を守るための、必死の労働を、越後の人々ははるか昔からつづけてきた。

村の男たちは、冬のあいだ出稼ぎにいっている。雪が五メートルを超すようになると、家が押しつぶされる。

田中角栄も、四、五歳の頃、屋根から落ちてきたなだれの下に埋まり、あやうく死ぬところであった。

雪道を歩くのを、雪を漕《こ》ぐという。カンジキのうえに、スカリという橇《そり》のようなものをはき、雪中を泳ぐように動くのである。

子供の肺炎が悪化し、妊婦が難産になり、老人が危篤になっても、医師を呼びにゆけなかった経験を、越後の人々は胸のうちにとどめていた。

〃ロッキード選挙〃ののちにおこなわれた、昭和五十四年十月七日の総選挙で、角栄は新潟三区でトップ当選を果たしたが、票数は前回より約二万七千票が減り、十四万千二百八十五票となった。

翌昭和五十五年六月二十二日、大平正芳首相急死後の衆参両院でも、角栄はトップ当選であったが、票数は十三万八千五百九十八票と、前回よりさらに減った。

越山会の青年層が、しだいに角栄のもとをはなれる傾向を、あらわしていた。越山会青年部長であった桜井新が衆院選に出馬し、七万九百二十六票を得て、二位当選を果たしたのである。

角栄は昭和五十六年一月十二日、呼吸困難となり自宅で倒れ、救急車を呼んだ。

意識は正常であるが、脈拍は早く、顔面蒼白、胸痛があった。血圧は二四〇―一五〇ときわめて高かった。

ロッキード判決の直前、昭和五十八年十月三日にも、角栄は胸痛を訴え、救急車を呼んだ。一過性高血圧症であった。平素の過労とストレスが、しだいに角栄の健康をそこなっていた。彼は日頃から、「政治は血みどろの権力闘争だ」と語っていた。オールドパーをあおっては、「おれは、午後三時の太陽なんだな」

とつぶやくこともあった。

角栄を昭和二十二年の初当選から支援してきた、栃尾越山会二代目会長、姉崎喜三郎は、昭和五十八年には九十歳になっていた。

彼のもとへ、角栄からときどき電話がかかる。

「酒でも飲んで苦しみを忘れろ」と姉崎がいうと、「酒は一升も飲んでる。でも寝れんからウイスキーを飲む」と答えた。

姉崎には角栄のつらさがよく分かった。


昭和五十八年十二月二日、上越新幹線で長岡にむかう角栄は、車内で報道陣のカメラ攻勢に、不機嫌な表情をあらわし蒼ざめた顔に笑みを見せなかった。

頬をほころばせたのは、越後湯沢を過ぎ、故郷の雪景色が窓外にひらけたときだけであった。角栄の心中には不安が雪雲のようにわだかまっていたにちがいない。

午後三時半、長岡駅ホームに下りた角栄は、警察官約五千人が厳戒するなか、待ちうけた支持者たちに笑顔をむけ、何度も右手をあげる得意のポーズをつくった。

角栄は三日の長岡、柏崎両市でおこなわれた出陣式のあと、七日から三島郡《さんとう》に入り、十七日までの公示期間十一日間をフルに使い、三区内三十三市町村をもれなくめぐり、個人演説会をひらくことになった。当初、陣営ではお国入りの予定はなかったが、急拠方針《きゅうきょ》を変えた。各市町村の支持団体から不安の声が出ることを恐れた末の決定であった。

演説は警備の都合により、すべて会場内においておこなわれた。

十二月十五日付の新潟日報では、「ボルテージあがる〝角栄節〟」の見出しで、つぎのような記事を掲載した。

「田中元首相の演説は、日々ボルテージがあがっている。出陣式や個人演説会初日は、顔にツヤがなく、語り口も硬め。角栄節が出るまでは時間がかかった。

しかし、会場への動員数は上々。気をよくしたのか、顔のツヤもよくなり、演説も冒頭からくらべると滑らかになってきた。

小千谷《おぢや》では、激するあまりか涙し、この小千谷と三条では、壇上から小学唱歌の一節まで歌うなど、かつてない光景も見られた」

三島郡出雲崎町や和島村では、死生観を口にした。

「父親から教わったことが、最近ようやく理解できるようになった。父は、眠ることは死ぬことだといった。わしは毎日眠り、死んでいる。

そう考えるようになって、死やすべてのものが怖くなくなった」

角栄はそのあとをうけ、強気の心情をあらわす。

「今度当選したら議員立法をやる。これまで二十年間黙ってきたが、これからはそうはいかん。法改正はかならずやる」

角栄に三十年余り従ってきた元秘書、佐藤昭子の『決定版　私の田中角栄日記』に、つぎの記述がある。

選挙期間中は、毎日毎日、朝六時ピッタリに田中から電話がかかってくる。

「もう一歩足りないんだ。死に物狂いですよ」

「あら、それにしては余裕のある声じゃないの。頑張ってね」

中には悲鳴もある。

「ママ、助けてくれえ」

投票日の四、五日前には、田中からこんな電話がかかってきた。

「おい、二十二万票取れるよ」

「何、言ってるの。十五万票を割らないように気をつけなさいよ」

佐藤は、日記の中で、ロッキード事件について「むりやりつくりあげられたような事件」とその印象を記し、有罪判決のあとには、裁判の先行きに対し「不安を感じ」、角栄に進言したと記している。

「弁護士を変えたほうがいいんじゃないかしら。いい弁護士を紹介します。うちで給料を払いますから使って下さい、という申し込みがたくさんきてるわよ」

角栄は佐藤の進言をいれなかった。

「今いる人たちに悪いからいいよ」

お人好しの田中はうんとはいわなかった。しかし、田中はこの弁護団との打ちあわせに、次第に熱意を失っていったのではないだろうかと、佐藤は記す。

「事務次官がお見えになりました」

「国会議員がいらっしゃいます」

と声がかかるたび、打ちあわせの最中でも、さっさと抜け出してきてしまう。

倉田哲治氏、石田省三郎氏、淡谷まり子氏などが加わり、リベラル色の強い弁護団が実務型に再編成されるのは、後のことになる。

角栄のもとに、議員辞職をすすめる中曾根総理の手紙がきたが、佐藤はその手紙を田中に見せませんという返書を送った。

角栄を三十五年間も支援してきた、南魚沼郡湯沢越山会長、高橋敬一郎はいった。

「あの人（角栄）の欠点は、イヤな話を聞くのが苦手なことだ。忍耐が足りない。もうひとつ、忍がないのは、（信長のような）残忍性がないことだ。それで人気があるんだが」

角栄の側近にも、おなじことをいう者がいた。

「彼は豊臣秀吉でなく、織田信長だ。信長と違うのは、田中には比叡山の焼き討ちができないことだ」

昭和五十八年十二月十八日の選挙の日は、朝から雪が目路《めじ》を覆って降りつづいていた。地元の越山会長はいった。

「この雪で、田中票はまちがいなく出るぞ」

角栄は〝雪の選挙〟で負けたことがない。開票がはじまると、たちまち五百票で角栄の当確がきまった。

角栄はただちに佐藤昭子に電話をかけた。

「ありがとう。お前のおかげだよ」

得票数は二十二万七百六十一票に達した。角栄の得票率は四六・六％。三区の他の当選者は、すべて四万票台にとどまった。

角栄の大量得票は、九万五千人の越山会を中心として、恩返し票の結集をはかった結果であった。

系列に属する十三人の県議、三百人を超える市町村会議員に、各自の後援会票を導入させる。また地元建設グループの徹底した集票運動が功を奏した。

角栄はこれまでの越山会員を対象とした辻説法から、各市町村のミニ集会に戦術を変え、圧倒的な反響を呼びおこす角栄節を語りつづけた。

その結果、戦後三十年間、辺境に光を与えつづけてきた角栄への恩返しの感情と、逆境への同情が、越山会も予想しなかった大量得票につながった。

実刑判決、政治倫理の弱点を吹きとばすこの結果は、角栄の最後の残照であった。

新潟県の投票者の二人に一人が田中と書いた結果は、世論をゆるがすに十分なものであった。

角栄は県下三十三市町村で、二位以下を大きく引きはなす、圧倒的な勢いをあらわした。大票田《ひょうでん》である長岡市でも、前回の二万一千票から四万三千票台への、おどろくべき躍進を示した。

中央では角栄の得票は地元への利益誘導と簡単に割りきるが、中央中心に政治が進められてきたことへの地方の反感は、そこに住む者でなければ分からない。

中央マスコミの激しい政治倫理の攻勢を吹きとばし、角栄を支持したのは、住民たちが彼を身内とするつよい連帯感であった。

角栄は帰京の車中で、見知らぬ婦人から「何か一筆お願いします」と頼まれると、万年筆をとり、つぎの一首をしるした。

末ついに　海となるべき山水も
しばし木の葉の下くぐるなり
越山田中角栄

彼は記者団から大勝の感想を聞かれると、ウイスキーをあおりながら、傲然《ごうぜん》といいはなった。

「県民の声なき声が、爆発したものだ」

越山会員は狂喜乱舞していう。

「新潟県の田中、日本の田中を証明した二十二万票だ」

この大得票は、田中を選出している新潟県民を「まだ目が覚めないのか」と冷たくきめつけたジャーナリズムの報道に、「なにこくか」という地元民の反発がこめられていた。

越山会の大半は、角栄が五億円をロッキードからもらったとしても、選挙のために使ったのだとみていた。有罪となったのは、アメリカの石油メジャーの虎の尾を踏んだためであると解釈している。

選挙の結果、田中軍団はほぼ従前に近い勢力を確保したが、自民党は大惨敗した。政界では、角栄に辞職勧告をした中曾根首相（当時）でさえ、ライバルとして追いすがる実力を全くそなえていなかった。

ふりかえってみれば、このときが角栄の放った最後の光芒《こうぼう》であった。その後は急速に運命が暗転してゆく。晩年、病に倒れるまでの角栄が、ウイスキーを鯨飲《げいいん》したというのは、自らの足場に亀裂がひろがってゆく響きを、耳にしていたためであろう。

マスコミからさまざまな指弾をうけつつ、世を去ってから、九年を経た角栄が、いまなお日本の理想の指導者として、戦国武将らをおさえ、アンケートのランキング上位に登場するのはなぜか。

また、立花隆著『「田中真紀子」研究』で立花は「田中角栄がわからないと、日本の政治の今はわからない」と書く。

戦後最大の大衆政治家である角栄とはいかなる人物で、彼を生みだした戦後とは、いかなる時代であったのか。

越後富士

田中角栄は、大正七年五月四日、新潟県刈羽郡二田村《かりわぐんふただむら》（現西山町）大字《おおあざ》坂田の古い農家に生まれた。

見渡すかぎり稲田のつづく新潟平野のなかの村である。信越本線柏崎駅から越後線に乗りかえて、新潟にむかい五つめの西山駅で降り、三十分ほど歩くと坂田の家に着く。

柏崎から各駅停車の汽車で、西山駅まで一時間ほどかかった。海沿いの小高い山なみと、柏崎から長岡にむけてひろがる山地に抱かれた村は、西山駅を発車する汽車の汽笛がポォーッと尾を引いて消えてゆくと、窓の障子紙にあたる風音が、かすかな凧《たこ》糸の唸《うな》りのようなひびきを伝えてくるだけの、物忘れをしたような静かさのなかに沈んでいる。村道を長い涎《よだれ》を垂らした牛が、ときどきモォーッと底力のある啼《な》き声をあげ、重い荷を積んだ牛車を曳《ひ》いてゆく。

馬車は、牛車より早く動く。牛馬は歩きながら大きな糞《ふん》を路上に落とし、小便を滝のように流す。

二田村のまんなかを、鯉、鮒などのとれる坂田川が流れ、その両側に不動尊、円城寺、太子堂など十いくつの寺院と寺院跡があった。神社も四つあった。

二田村は、二田城という古城の登り口にある城下集落であったといわれ、寺社の境内にある松柏は、樹齢五百年をこえるものが多かった。

二田村の集落ができたのは、四、五百年よりはるかまえといわれるので、鎌倉期であったのかも知れない。

角栄の家は、そのころにできた十八軒の農家のうちの一軒といわれる。

田中家は男子が育たないといわれていた。祖父が捨吉と名づけられたのも、そのためである。拾い子は丈夫に育つといわれるので、門前に捨て、分家の祖母に拾ってもらったという。角栄の父の角次は、名の通り二男であったが、兄が幼時に亡くなったので、あとをついだ。

角栄も戸籍のうえでは長男であるが、角一という兄が生後まもなく亡くなっている。

角次は二男が生まれたとき、義高か角太郎のどちらかを命名するつもりでいた。家号が角右衛門《かくえん》で、その跡取り息子であるため、角太郎がふさわしいということになったが、母のフメが反対した。

「角太郎といえば、実家《さと》の隣の犬の名だすけ」

父の角次は自分の考えを撤回した。

角太郎という犬がいたのかどうか分からないが、フメはみごもっているときから、生まれる子が男児であれば角栄と名づけたいと思っていたにちがいない。

いま二田村は、付近の村を合併し、西山町の二田地区となった。

西山町は、春になれば町の花である薄紅色のカタクリの花が咲く。一千万年前から咲きつづけてきたという雪割草《ゆきわりそう》も、ちいさな白と紅の六枚の花弁を開く。やぶ椿と雪椿の雑種といわれるユキバタ椿は、日本海沿岸の一部にのみ見られるめずらしい植物である。

町内には、樹齢千年に近い「めおとおんこう」（現在は滅失）と呼ばれる、二株のいちいの老樹がある。町のうしろにひろがる山肌には、椎の原生林がひろがっている。

西山町はかつて日本で唯一の石油の産地で、日本石油発祥の地であった。『日本書紀』には、天智天皇の即位七年（六六八）秋七月に、越《こし》の国から燃ゆる水、燃ゆる土が朝廷に献上されたと記されている。

それらが採掘された場所は、現在の妙法寺草生水《くそうず》一〇七二番地の献上場《おんじょうば》であるという。

この石油は自然に湧《わ》き出たもので、石油の手掘りは寛政年間（一七八九—一八〇〇）から明治中期まで、約百年間つづいた。

明治二十一年、この地に日本石油が設立され、二十七年に宝田石油とともにアメリカの新型鑿井機《さくせいき》を購入、深度三五〇七メートルの油層からの採油に成功した。

西山町の名は、明治初年に石油採掘で繁栄した長岡市東山に対称してつけられたものである。

明治三十年、北越鉄道（現在の信越線）開通により、柏崎に石油精製所が建設され、オイルラッシュがおこった。

最盛期の西山油田の採油は、全国石油産出量のなかばに達していたが、乱掘によりしだいに衰退し、昭和四十七年に廃山となった。

◇

角栄が生まれた頃、二百戸たらずの二田村（昭和三十四年に西山町となる）はほとんどが農家で、山が近くに迫り、水田と山林を持つ家が多かった。

一戸あたりの平均反別は七、八反であるが、年に五、六十俵の米がとれる。薪、材木には不自由しない。そのうえ西山油田が最盛期であった。

どの家からも主人か長男などの稼ぎ手が日本石油西山鉱業所へ油井を掘りに出かけるので、毎月現金収入がある。

そのため、日本じゅうが不景気に見舞われているときでも、村内には活気があった。

二田村ではめずらしく、田中家は農業を本業としていない。祖父捨吉は、腕ききの宮大工で、土木建築の請負もやっていた。

二田村の西南に、標高九九三メートルの米山《よねやま》が聳《そび》えていた。

〽米山さんから雲が出た

いまに夕立がくるやら

と地元の民謡三階節にもうたわれるように、日本海に面して聳え、越後富士と呼ばれる米山は、気象を予知する目じるしとして、昔から親しまれてきた。

農民、漁師は米山を見て、時化《しけ》の前ぶれを知らされる。頂上にちいさな雲がかかると、かならず雷が鳴った。

荒海に舟を漕ぎだす漁師たちは、米山から目をはなさない。沖から眺める米山が、霞んで見えるときは、海上は凪《なぎ》である。

山容が近づいてくるようにあざやかに空に聳えているときは、時化が近づいている。

初雪が降るまえに、シベリアおろしのつよい西風が吹きつのる。吹雪の前ぶれである。

柏崎、刈羽、頸城《くびき》のどの土地でも、家のまわりに太い丸太を組んで囲い、長いヌキ板を荒縄でくくりつけ、風囲いの支度をする。

十二月半ばから五月まで、村は雪中に埋もれ、吹雪の音を聞くばかりである。

戸外へ出るには、高く積もった雪の壁につけた段を登らねばならない。

角栄は、幼い頃、雪の下敷きになったことがあった。大雪が降りつづいた年で、茅葺《かやぶ》きの大屋根から滑り落ちる雪が、縁先に壁のように積もっていた。

昼間に陽《ひ》が照って気温があがると、大屋根の雪が耳をおどろかせる轟音とともになだれ落ちる。

それを、「雪崩《なぜ》がつく」といった。

角栄が外へ出ようとして、玄関から雪の壁につけた段を登ろうとしているとき、頭上から雪崩が落ち、ちいさな体は雪の下に埋もれてしまった。

分家や近隣の人々が駆けつけ、鈍色《にびいろ》の空を気にしつつ、シャベルやこすきという木のシャベルで必死に雪を掘りかえすが、角栄の姿は容易に見つからない。

雪崩の量が多く、見当をつけて掘ってみても、角栄は出てこない。ぐずついていると窒息して死んでしまうので、皆はシャベルで角栄を傷つけることを気づかう余裕もなくなり、狂ったように雪を掘る。

祖母のコメは、男まさりの体格で、若い頃は近在に聞こえた美人であった。彼女は角栄を溺愛《できあい》していたが、このとき、般若心経《はんにゃしんぎょう》を高唱しながら、夢中で鍬《くわ》をふるい、雪を掘りかえしていた。

母親のフメが、角栄はもう死んだと観念したとき、コメが叫んだ。

「ここだ、ここにいるすけ」

コメの足もとの雪がまっかになった。フメをはじめ近所の人が飛ぶように走ってきて、手で雪を掻《か》きのけた。

鍬の先が頭にあたり、血が噴き出したので、角栄の所在が分かったのである。角栄は皆に助けだされたとき、泣きもせず平気な顔つきであった。

「お前、おそろしくなかったのけ」

フメに聞かれると、角栄は額から血を流したまま黙ってうなずいた。

角栄は雪崩《なぜ》に埋められたときの気持ちを、いつまでも覚えていた。

雪のなかはほんのりとあたたかく、ゆったりとした大きな懐に抱かれているような気がする。呼吸も苦しくはない。

このまま眠りたいような心地よさと、雪から抜け出さないといけないという焦りが、ないまぜになっている。

あの心地よさは、いったい何であったのだろうと、角栄は思いだすたび、ふしぎな気分になった。角栄には姉二人、妹四人がいた。長女カズエ、二女フジエ、長男角栄、三女ユキエ、四女トシエ、五女チエ子、六女幸子《さちこ》の順である。

三女のユキエと四女トシエは早逝《そうせい》した。

角栄は祖母コメに溺愛され、過保護をうけて育った。コメは昭和十九年、八十二歳で世を去るまで、家事いっさいをひきうけていた。フメは五十歳になるまで、戸外で田仕事をした。当時の農家は三日半日といい、三日はたらき、半日休む習慣があった。コメはこのときかならずフメを休ませ、洗濯から鍋の煤《すす》落としまで自分でやった。

農閑期には、日雇い仕事をする。フメは雪山から伐《き》りだす材木の運搬、村から越後礼拝《らいはい》駅までの米俵運びの労働をして日銭を稼いだ。米一俵を運ぶ手間賃は、十銭である。雪解けの頃には、土木仕事の手伝いをした。

フメには、洗濯泊まりという例年の仕事があった。

旧盆から十月の稲刈りがはじまるまでの、およそ五十日間を、嫁は実家に戻り、冬期に使う綿入れ、着物の洗い張りと縫い直しをするのである。

田中家は、家族が多いので、フメは夜なべで仕事をして、帰宅が遅れる。二女のフジエは、母が遅くまで戻らないと、角栄を背負い、フメを迎えにいった。途中に野間田山という小高い丘がある。夜の山道は、おそろしかった。フジエは角栄が背中で泣くと、懸命にあやした。角栄は女きょうだいのあいだで育ったので、女の子のように優しい性格であった。

外ではたらくフメが、あるとき得意な五目飯をつくったが、角栄はいやがって食べなかった。

「おばあちゃんのつくったものでなければ、食べたくないよ」

「どうして、おらのつくったもの、いやけ」

「かかの手はおしめを洗濯するから、汚なげだもの」

そのとき、フメが実に悲しげな表情をみせたのを、角栄はながく忘れなかった。

感情がゆたかで、記憶力にすぐれた角栄は、幼時の見聞をこまかく覚えていた。いつも祖父に連れられて外出する角栄が、あるときめずらしく、フメに連れられ、村の円満寺という寺院にいった。

そこへ権田《ごんだ》雷斧《らいふ》という大僧正がきた。有名な書家で、フメの遠縁ということであった。

角栄の祖父は檀家《だんか》総代で、山門の前で出迎えた。大僧正がきれいな駕籠《かご》に乗ってきたので、角栄はおどろく。

白い手甲《てっこう》、脚絆《きゃはん》をつけた人が青竹を一本手に持ち、先触れをする。「下におれ。下に——」とくりかえすと、道端に座った老人たちはふかぶかと頭を下げた。

大名行列のような光景を、角栄は鮮明に記憶に残した。目をつむれば、大僧正の緋の衣の模様までが、ありありと浮かんだという。

よほどつよい印象をうけたのであろう。なんとまあ、いばった人がいるものだと思ったという。

幼い角栄は、べつにあんな駕籠に乗るようなえらい人になりたいとも思わなかったが、駕籠をかつぐ人とか、青竹を振って歩く人になるのはいやだという気がした、と述懐している。

後年、彼が国政を動かす政界の大立者になったとき、よく口にした言葉がある。

「駕籠に乗る人、かつぐ人、そのまた草鞋《わらじ》をつくる人」

越後の片いなかに生まれた少年は、その頃から、あきらかに向上心をそなえていたのである。

つよい向上心を持たない人は、人生に幾度かおとずれてくる好機をとらえそこなう。

幸運の神の頭には前髪があるが、うしろには髪がないという諺《ことわざ》がある。すばやく前髪をつかむ鋭敏な感覚をそなえている者だけが、開運の階段を登ってゆく。

角栄は四歳のとき、ばふうと呼ばれていたはやり病にかかった。ばふうとはジフテリアで、高熱がつづき、フメが夜も寝ずに看病しているとき、コメは仏前で先祖に角栄をたすけてくれるよう、祈りつづけた。

フメが真夜中に、村の鎮守、諏訪神社へはだし参りにでかけたことも、角栄は覚えていた。

角栄はジフテリアをわずらったあと、言語障害がおこり、吃音《きつおん》になった。

姉のフジエは、角栄が思うように話せないので、いらだって地面を蹴《け》るなど八つあたりをするのを、なだめた。

「さあ、静かにしゃべらっしゃい」

烈しい吃音で、しだいに内気になった角栄は、家のうちで遊ぶことが多かった。健康もすぐれず、これで育つのだろうかと家族は心配した。たまに外に出て近所の子供たちに吃音をからかわれると、非力であるのも忘れ、相手を殴りつけた。

フメは、角栄の吃音を気にしなかった。

「言葉が不自由なのは、角栄の看板のひとつだよ。誰でも特徴はあるもんだすけ」

母にかばわれて育った角栄は、病弱な少年期のうちに、劣等感を闘志に変える心の訓練をつみかさねていた。

田中家の祖父捨吉が建築業をいとなみ、父角次が牛馬商であったのは、田圃《たんぼ》と山林から収入を得る、地味な生活が肌にあわなかったためであろう。

農業よりも、一獲千金《いっかくせんきん》の機会にめぐりあうことの多い職業を、好んだのである。

捨吉は神社や寺だけではなく、小学校から村役場まで建てた。角次は牛馬商で、田の仕事はフメに任せたきりであった。五十歳の頃まで仲買人をしていた。

一時はさかんに商いをして、常に胴巻きに札束を入れ、産地に牛馬を仕入れにゆくので、家を出ると十日も帰らない。

旅先で仕入れの金がなくなると、「カネスグオクレ」の電報がくる。

フメは、なけなしの金をかきあつめて送る。金が足りないと、借金にかけまわって、夫が必要な金額をととのえ、送った。

二田村では、田中家はきわめて派手な生活をしていた。角次の思惑《おもわく》が図にあたり、商いが隆盛であったためである。

角栄が五、六歳の頃、西山駅に角次の買った牛が、何台もの貨車に積まれて運ばれてきた。

五、六十頭の牛が、夕方の畦道《あぜみち》を歩き、田中家へきた。フメは、村の娘たちと家のまえに篝《かがり》火《び》を焚《た》き、炊きだしをしていた。

角栄は父につきまとい、いろいろたずねた。

「この牛はどこの牛。どこからきたのけ」

「敦賀《つるが》からきた牛だ」

「敦賀というところには、牛がたくさんいるのかね」

「これは敦賀のむこうの、朝鮮から渡ってきた牛だ」

角栄は、朝鮮牛はおとなしいと聞き、そばへ寄ると、いきなり鼻づらをつきだしてきた。おどろいた角栄が逃げると、牛もあとを追ってくる。

逃げ場を失った角栄は、はざ（稲架け）の上によじのぼる。牛は、はざの下にうずくまり、動かなくなった。

——俺は大きくなっても、絶対に牛買いにはならねえ——

角栄はそのときのおそろしさを、いつまでも覚えていた。

角次は北海道月寒《つきさっぷ》に、大牧場を経営し、牛の品種改良をおこなう夢想を抱いていたが、ついに冒険に踏みきった。

オランダからホルスタイン種の種牛を、三頭輸入したのである。ホルスタイン乳牛は、一頭一万五千円ぐらいである。

大工の日給が一円前後、米一俵が六、七円の時代である。角次はホルスタインの二頭を月寒へ送り、一頭は手もとで飼育するつもりであった。

四万五千円の購入費は、財産のすべてを売りはらっても、とても調達できない。角次は山林を売り、家を担保にいれ親戚《しんせき》と近在の資産家から出資をあつめ、牛を買った。

横浜に牛がついたという知らせがくると、角次は村に到着する日を待ちかねているようであった。彼には、なみの男が持たない勝負度胸がそなわっていた。

数日後の夕方、フメが家に駆けこんできた。笑顔を絶やさない彼女が、緊張に蒼ざめた顔つきをしている。

角栄が見ていると、フメと角次は低い声で話しあう。角次もただならない表情であった。しばらくたって、村の若者たちが大八車に瀕死《ひんし》の牛を一頭乗せ、庭に運びこんできた。フジエが教えてくれた。

「ホルスタインは二匹が長い船旅で暑気にあたって、死んでしもうた。残った一匹も死にかけてる」

幼い角栄は、父が大きな災いをかかえこんだのを理解した。

まだ息をしている乳牛は、むしろのうえに下ろされ、獣医がきて懸命に手当てをしたが、まもなく息をひきとった。

牛のなきがらは、裏山に埋め、墓標のかわりに小さな松を植えた。

その夜、庭に大勢の村人が集まり、酒盛りをした。ふだんは酔っても乱れない角次がその夜は大声を出していた。

彼の事業は、このときから暗転した。傾いた家運をもとに戻す見込みはなかった。

角栄が六歳であった、大正十二年九月一日の昼頃である。二田尋常高等小学校の校庭で遊んでいるとき、地面が波のように持ちあがり、揺れた。

松の木が大きく動き、子供たちは立っていられなくなり、転げまわった。東京が大災害をうけた、関東大震災がおこったのである。

翌日から、越後線の列車が満員になった。ふだんは、「客がない、客がない」というようなわだちの音をたて、歩くような速さでゆっくり走り、汽笛の音が「フケイキ、フケイキ」と聞こえるような列車が西山駅に着くと、東京へ出稼ぎにいっていた人々が帰ってきた。

角栄の叔父、叔母も焼けだされた。

祖父は焼けた家を建てなおす資金を捻出《ねんしゅつ》してやるため、山の材木や田圃を売ろうとした。

叔父たちは、角栄がおどろくほど大量の米や味噌《みそ》を持って帰っていった。

——よくもまあこれだけもっていくもんだ。東京の人らは、いやな人らぞ——

角栄は反感をおさえられなかった。

角栄の母、フメは奔放な夫が留守がちであるため、ひとりでまっくらなうちに起き、田圃ではたらき、牛馬の世話をする。

角栄が夜中にめざめて手洗いにゆくとき、フメはいつも起きていて仕事をしている。

——母《かか》は、いったいいつ寝るんだろうか——

角栄はふしぎであった。

フメは絶対に愚痴をいわず、子供たちが手伝おうといいださないかぎり、ひとりで黙ってはたらく。しかし、姑《しゅうとめ》のコメが孫たちを甘やかすだけに、躾《しつけ》をきびしくした。

末娘の幸子も、わるさをした罰に、夜に庭の柿の木や牛の背にくくりつけられたことがあった。

フメは、口数がすくないが、子供たちに口癖のようにいった。

「ねら（おまえたち）、悪いことしんなや」

小学生の頃であった。

「角や、ここへちょっとこい」

フメが呼び、角栄は物置のかげへいった。

「おまえ、なんか悪いことせなんだかの」

「なんもせんよ。悪いことってなんだ」

フメはするどい眼をそらさない。

「いいか、もしアニが悪いことをしてりゃ、母《かか》はおまえといっしょに汽車に飛びこんで死ぬつもりぞ」

フメは、角栄が祖父の財布から金を抜きとらなかったかと、問いただした。

「そんなことはせん」

角栄はその日、茶だんすのうえに五十銭銀貨が二個あるのを見て、それで蜜柑《みかん》を一箱買い、近所の子供たちを集め、食べてしまった。

角栄はフメに答えた。

「財布から取ってないけど、銀貨がたんすのうえに乗ってたから、俺使ったぞ」

「やっぱり、お前か」

フメは顔色を変えたが、祖父がとりなした。

「アニが使ったんなら、ええんじゃ」

角栄は父がホルスタイン乳牛を死なせ、大損害をうけたあと、養鯉業も縮小して、二、三頭の馬を持ち、地方競馬をめぐり歩き、レースの賞金稼ぎで苦労しているのを知っている。

フメが山から伐りだした材木を西山駅まで運び、十銭の日当を得る実状も、もちろん知っている。

当時としては、いなかの小学生が五銭か十銭を浪費するのも贅沢《ぜいたく》である。それが、一円も使い、高価な蜜柑を買い、友人にふるまったのは、ふつうの子供にできることではない。

気前がよいといっても、限度がある。やはり、角次からうけついだ性格であると見るべきであろう。

筆者には、昭和十四年、小学校五年生の頃の記憶がある。和歌山市内の刀剣店のショーウインドーの隅に、全長二十センチほどの短刀の形をした、小刀《こがたな》が置かれていた。

刃渡り十五センチ足らずの鉛筆削りであるが、黒地に水玉模様の鞘のこしらえも気に入り、店主に聞いてみた。

「これ、いくらですか」

「一円や」

店主は、子供に買えるはずはなかろうという顔つきで、傲然と答えた。

筆者はたまたま一円札を持っていたので、さしだすと、店主はうろたえた表情を見せ、小刀を売ってくれた。

一円の値打ちはインフレが始まっていたその頃でもそうとうなものであった。大正末期であれば、大金といってもいい価値があったのではないか。

角次が北海道で牧場経営を思い立ったのは、二田村庄屋であった荒川家の当主・義一と親友であったためである。

義一は弟に北海道江差で牧場を経営させていた。

義一は角次とともに牛馬商をしていた。競走馬の馬主となり、各地のレースに参加し、思惑がはずれ、家に送金を頼む窮境に陥ることも、同様であった。

角次は義一とともに牛を連れ、しばしば北海道へ出かけた。

義一は常にいっていた。

「角次は牛馬商としては、一流の眼識をもってるらども、金儲《かねもう》けのことになると、さっぱりでソ」

フメは夫が単身で競馬場を渡り歩くようになってから、義一のもとへ夫のかわりに、しばしば借金に出向いた。

角栄が県下でも有名な、伝統のある二田尋常高等小学校に入学したのは、大正十四年四月であった。

明治七年創立の校舎は、村のうしろの丘上にある。正面の石段を登り校門の前に立つと、米山が南西の空にあざやかに聳えていた。

校長は、角栄が終生の恩師とした、草間《くさま》道之輔《みちのすけ》である。草間は二田小学校の卒業生で、当時三十五歳であった。

田中家に近い般若寺という寺院の離れに下宿していたので、角栄は小学生になるまえから、草間校長をたずね、いろいろの話を聞かせてもらった。

話し上手な校長先生は、子供たちに人気があり、涙もろい性格で、悲しい話をするとき、目をうるませた。角栄は先生を慕っていた。油絵、書道が得意な校長の書いた額は二田小学校講堂正面の御真影《ごしんえい》奉安殿のうえに掲げられていた。

「至誠の人、真の勇者」という額の文字について、校長は一年生の角栄にも分かるように話してくれた。

「なにごとにも、まごころをつくす人こそ、ほんとうの勇者だぞ」

学校は、正門をはいると間口十間（約十八メートル）、奥行き二十間の、講堂兼雨天体操場があり、左右に木造二階建ての校舎がむかいあい、二十ほどの教室があった。

角栄は体が弱く、冬になると着ぶくれて、喉にガーゼや真綿を巻いていた。角栄の吃音症は治らず、学校では無口であった。

雪が降りだすと、一晩のうちに何メートルも積もり、校舎のなかはうすぐらく、石炭ストーブの熱がこもって、辺りが煤けてくる。

吹雪になれば、昼間から夜のようにまっくらになり、ごうごうと校舎を揺りうごかす風に乗り、雪が地面から吹きあげてくる。

空が晴れると、雪合戦をする。

かたく握った雪を、おもいきり相手に投げつける。ドッジボールのルールを使っていた。スキー遊びもやった。

裏山で大きな竹を伐ってきて、それを二つに割って使う。ストック（杖）は使わず、手製のスキーで滑るので、下級生たちはじきにころんで雪まみれになるが、上級生たちは腕を組み、急な傾斜を巧みに下っていった。

陣取り合戦は、たがいの陣地をきめ、三十センチほどの竹の棒を陣地のなかに立て、それを奪いとったほうが勝つ。

角栄は、斥候《せっこう》や奇襲攻撃を考えだし、同級生たちを感心させた。そのときだけ、彼は元気であった。口をきかなくてもいいからである。

二田小学校の全校生徒は六百人である。角栄は同級の生徒たちと、裏山の細道をつたい登下校する。

下校のとき、同級生数人といっしょに帰るのだが、吃音でうまく話せない角栄は、いつも口《くち》喧嘩《げんか》になると皆にいい負かされる。負けずぎらいの角栄は複数の彼らに仕返しをする機をうかがっていた。

二年生になったある日、角栄は五、六人の同級生にからかわれながら下校しつつ窪地になっている十字路にさしかかると、突然鞄《かばん》の紐《ひも》をしっかりとにぎりしめ、ふりまわして左右の彼らをなぎ倒した。

不意をつかれた同級生たちは、ぬかるみに尻もちをつき、谷へ転げ落ちた。

このあとしばらく、彼らは角栄をいじめなかったが、こんどは離れたところから、悪口を投げかけた。

さきに帰宅した角栄が縁側に腰かけていると、前の道を通るときにのぞき、ことばの不自由なのをからかう。

庭と道のあいだに、子供の背丈ほどのヒバの垣根があり、悪童どもは垣根のすきまから角栄がいるのを見て、嘲《あざけ》りの声をかける。

角栄は、裏山から青竹を切ってきて先を尖《とが》らせておいた。

下校時になって、早めに帰り、縁先で待っていると、同級生たちがやってきて、垣根に顔を寄せてくるのを見ると、竹槍《たけやり》を持って駆け寄り、いきなり突いた。

目のまえに竹槍が出てきた同級生はおどろいて、うしろの溝に転げ落ちる。あわてて下駄《げた》の鼻緒を切らした者もいた。

角栄を怒らせたら、なにをやるか分からないという評判がたち、意地わるいことをしかける者がいなくなった。

角栄の短気は、父の性格をうけついだものである。角次もふだんは穏和であるが、怒りだすとなにをするか分からない、気の荒いところがあった。

角栄が四年生の秋であった。池の鯉揚げをする日である。角栄は楽しい鯉揚げに、早く駆けつけたいと思うと、気が散って授業もうわの空であった。

そのうちに、腹がいたくなり、蒼ざめた顔になってきた。担任の金井先生が早退を許してくれた。

家に帰ると、腹痛がたちまち治った。

池へ駆けつけ、村の若者たちと鯉揚げをしていると、角次がするどい眼差《まなざ》しをむけたが、なにもいわなかった。

その年の冬、吹雪の日であった。

外はまっくらで、雪がすさまじい風に乗って、足もとから吹きあげてくる。

新潟の雪は、東北、北海道とちがい、水っぽいベタ雪である。藁《わら》でこしらえた雪沓《ゆきぐつ》で雪を踏むと、じきに湿気がしみ通ってきて、足が凍傷になるので、ゴムの短靴をはいて登校する。

同じ地区の上級生が前にならび、下級生がうしろにつづく。下から吹きあげる雪にむかって歩こうとすると、息もできないので、頭からマントをかぶり、大人たちが踏みつけてこしらえた道を、うしろむきになって歩く。

学校で授業がはじまってまもなく、角栄は腹が痛くなり、我慢できないほどになってきた。金井先生は、角栄を背負って家に送ってくれた。吹雪のなか、足を踏みしめながら、先生がよろめき歩き、家に着くと、優しい眼差しをむけた。

「体が冷えたんだ。炬燵《こたつ》であったまったら、治るだよ」

フメがおどろいて出てきて、先生に礼をいった。

「早う寝れ。薬飲むか」

売薬の袋をもってきたが、角次は角栄をにらみつけていう。

「お前はまた、鯉揚げのときのような、うその腹痛じゃねえだろのう」

角栄は暖かい囲炉裏《いろり》ばたに腰をおろすと、なぜか突然腹痛が治ってしまった。

「さっきまで辛抱できねえほど痛かったんだども、なぜか急に治った」

角栄がうれしくなっていうと、角次は急にどなりつけた。

「またうそをついたな。裸になれ」

「なんで裸になるの。うそはついとらん」

だが、角次は狂ったように怒りだし、角栄はやむなく裸になった。角次は角栄を吹雪のなかへ放りだす。

——父《つあつあ》は、俺を殺すかも知れねえ——

角栄は恐怖に寒さも忘れ、雪のなかをはだしで走った。ふりむくと、角次が追いかけてくる。必死で逃げたが、つかまえられ、雪のうえに押さえつけられた。

思いきり殴りつけられると覚悟した角栄は、意外にも角次に抱きあげられ、家に連れ帰られた。

角栄はその日から、少々の腹痛でも学校へ通うようになった。角次がまた癇癪《かんしゃく》を爆発させると思うと、おそろしくて休んでいられない。

角栄は父から、男の生きかたのきびしさを学び、その激情をもうけつぐことになった。

角栄が五年生のときであった。

彼は父親に叱《しか》られて以来、学校を休んだことがない。級長であったので、いちばんうしろの席で手習いをしていたが、前の席の力平《りきへい》という同級生が大声で笑った。

力平は角栄とは縁つづきであったが、いたずら小僧である。角栄に石をぶつけておいて、自分が「痛いっ」と叫ぶような人を食ったことをした。教壇にいる先生が、「誰かっ」と怒声をあげると、力平は角栄の机をゆさぶり、音をたてておき、知らぬ顔をしていた。

笠原という先生はそばにきて、「田中かっ」とどなりつけた。角栄は数日前、なにかの本を読み、感動した文章を、うっかりと半分ほど作文に引用し、笠原先生から丙《へい》の採点をもらっていたので、どうしてもうちとけない気分が残っている。

ほかの学科で丙をもらったことがない角栄は、いきなりどなられると、頭に血がのぼった。

立ちあがり、「違います」と答えようとするが、顔が紅潮するばかりで言葉が出ない。

「なんだ、級長でいながらそんないたずらをするのか」

先生はますますかさにかかって、叱りつける。

角栄の口から、どうしても言葉が出ない。吃音の癖がつよく出てきた。そのとき胸のうちで何かがはじけた。

角栄は、たっぷりと摺った墨のはいった硯《すずり》を、力まかせに床へ叩きつけた。硯は砕け、墨は辺りに飛び散り、笠原先生はあきれたように口をとざした。

角栄は学校の帰りがけ、フメから頼まれていた電球を三個買ったが、習字の時間の憤懣が頭をもたげてきて、それを道端の杉の木に叩きつけた。

そのとき、「ヤーッ」というかけ声が自然に喉からほとばしり、怒れば声が出ることを角栄ははじめて知った。

吃音は、寝言をいうとき、歌をうたうとき、妹たち年下の者と話すときにかげをひそめる。飼い犬に話しかけるときなどは流暢《りゅうちょう》なものである。

だが、目上の人と話すと、容易に言葉が出てこない。せきこむと、さらにひどくなった。

吃音矯正法《きょうせいほう》の本を読んでも、何の効果もない。角栄は電球を杉の木に叩きつけたときから、吃音は直せるものかも知れないと悟った。彼は山中に入り、放歌高吟をくりかえすうち、しだいに自信がついてきた。

その年の学芸会で、角栄は先生に頼んだ。

「私を弁慶安宅《あたか》の関の、弁慶役にして下さい」

笠原先生はいった。

「お前は台詞《せりふ》がいえないから、舞台監督をしろ」

「かならず立派にやりとげますから、お願いします」

角栄は懸命に頼んだ。

笠原先生は、角栄の願いをうけいれてくれた。

学芸会の当日、角栄は山伏姿で金剛杖を手に、幕があくのを待っていた。彼は自分に自信を持つことができれば、かならず大役を果たせると思っていた。

講堂には校長以下の先生がたと全校生徒が居ならんでいる。角栄が重い吃音者であるのを、知らない者はいない。彼らは角栄が弁慶役をつとめ、勧進帳を読みあげると聞いて、非常な関心を抱いている。

角栄は、幕があくまでのあいだ、自分にいいきかせていた。

――大勢のまえでしゃべっても、あがりさえしなけりゃ大丈夫だ。歌うときには、何の苦もなく言葉が出るぞ。犬に声をかけるときもそうだ。あがらなきゃ、絶対にやりそこなうことはねえ――

大きな賭けのときが迫っていた。失敗すれば、いつまでも吃音者のハンディキャップを、負いつづけていかなければならない。

みずからえらんだ賭けに、どうしても勝つんだと、角栄は心をはりつめさせていた。

〽花にかくれしよろいすがた

ありしもののふ　かげやいずこ

の合唱とともに、幕があいた。

講堂のなかは、せきばらいひとつ聞こえず、静まりかえっていた。ふだんは教師の質問に顔を紅潮させて力《りき》み、そりかえって教室のうしろの黒板に、後頭部を打ちつけるほど吃音に悩む角栄が、どんな演技をするのだろうかと、視線を彼にあつめている。

舞台にあがった角栄はふしぎなほどおちついていた。緊張しきっているが、講堂を埋める人々の顔が、まったく気にならない。彼は胸を張り、歌うようにきりだした。

「おいそぎ候ほどに、これははや、安宅の関におんつき候」

予想をはるかにうわまわるなめらかな調子で台詞が口から流れ出てくる。しめた、これならやれると、角栄はいきおいこみ、もっとも台詞の長く、むずかしい言葉のならぶ勧進帳のくだりを、流れるように読みあげていった。

劇が終わったとき、講堂が割れんばかりの拍手喝采《かっさい》がおこった。

角栄は胸を張って、同級生たちにいった。

「うまくいって、よかったさ。皆がうまく俺にあわせてくれたでがん、言葉に詰まらないですんだ」

台詞に節《ふし》をつけ、歌うようにしゃべり、劇に伴奏の音楽をつけ、進行をリズムにのせるよう工夫したことが成功したのであった。

角栄は、人生で最初の坂道を通り越した。

後年、首相となり、未曾有《みぞう》といっていい角栄ブームがおこった頃、幾冊かの回顧録が刊行された。

それらの記録から生い立ちをたどると、女性をめぐる、数多いエピソードが精細に語られている特徴に気がつく。

それは角栄のうちにふかく根ざしている、フメを通じてはぐくまれた女性尊重の、気質のあらわれであるとも思える。

二田小学校で、級長の角栄は放課後の教室と廊下の掃除を見とどけ、教員室へ報告にゆく役目をうけもっていた。

学級を五班に分け、当番の班が掃除をして下校する。

ある日、先生が出張したので、角栄が代わって皆に自習させた。放課後、掃除をはじめると、ふだんはおとなしい女生徒たちが、騒がしくふざけはじめた。先生がいないので気がゆるんでいる。角栄は注意をした。

「静かに掃除をやれよ。早くやってソ、早く帰ろ」

思いがけないことがおこった。女生徒のひとりが箒《ほうき》をふりあげ、角栄に打ちかかってきた。角栄は動転した。

女きょうだいのなかで育っているが、女の子にすさまじい顔つきで喧嘩をしかけられたのは、はじめてである。

角栄が逃げると、女生徒はあとを追ってきて、箒で背中を打とうとする。角栄は廊下へ飛びだし、逃げながら泣きだしてしまった。

それから、角栄は大柄で体力も男子をうわまわるその女生徒に遠慮せざるをえなくなった。

二田小学校では、春と秋の祭礼の日に、村内の鎮守に先生が生徒を引率して参詣《さんけい》し、頌歌《しょうか》を神前で合唱する慣例があった。

鎮守は昔上杉謙信が、戦勝祈願をしたという物部神社で、神域には樹齢五百年余といわれる老杉が鬱蒼《うっそう》と茂っており、森閑とした社前に立つとき、角栄はすがすがしい気分になった。

拝礼をおえ、解散すると、にわかに雨が降り出してきた。女生徒たちは着物を着ているので、雨支度をしており、尻はしょりをして、頭からマントをかぶった。

男生徒は雨にぬれながら、水たまりを飛びこえ、走って帰る。

うつむいて走る角栄が、女生徒に声をかけられた。

「私のマントに入らっしゃい」

それは、箒で角栄を追いまわした子であった。

「入れてくれるのけ」

「うん、おいで」

角栄は、その子と抱きあうように歩きながら、甘い体のにおいに胸を高鳴らせ、雨にぬれた素足をきれいだと思った。

角栄の吃音癖は、学芸会で大成功をおさめたあとも、完全に治ったわけではなかった。むずかしい表現を口にするとき、議論をして気がせいたとき、突然言葉が出なくなることがある。彼は常にいくらか演説口調で節をつけてしゃべるよう、こころがけた。あるとき、ふと思いついた。

――チョンガリを聞きたいなあ。俺もチョンガリなら、一席語れるかも知れん――

チョンガリとは、浪花節《なにわぶし》のことである。

当時、浪花節が全国に流行していた。二田村にも旅回りの浪曲師がきて、小学校の講堂や神社の境内を借りて、興行をひらくことがある。

角次はチョンガリが好きで、村で興行があるときは、かならず聞きにいった。角栄は一度聞いてみたいものだと思ったが、夜間の興行を子供は聞きにゆけない。

角栄は思いきって、担任の金井先生に頼んだ。

「明日の晩、講堂でやるチョンガリを聞きにいきたいのですけ」

「なんでそんなものを聞きたいんだ」

「節をつけるしゃべりかたを勉強したいのですけ」

金井先生は、角栄の願望を了解した。吃音を治すために、チョンガリを聞きたいのであれば、許してやろう。

「いまお前の父《つぁつぁ》は、留守だろうが。そんなら、母《かか》に連れてもらって聞きにゆけば、誰も咎《とが》めんちゃ」

先生の許しを得た角栄は、フメに連れられて、生まれてはじめてチョンガリを聞きに出かけた。

角栄は浪曲を聞くあいだ、身じろぎもせず、フメに話しかけることもしなかった。

翌日、学校の昼休みに角栄は同級生たちにいった。

「昨日の晩、母に連れてもらって、チョンガリを聞いてきたっちゃ。いまから語ってやるけ、ここへ集まれ」

同級生たちは教壇のまわりに集まった。角栄は語りはじめた。

教室に居あわせた担任の金井は、笑顔で腕をくみ、角栄の澄んだ声を聞く。一度浪花節を聞きにいっただけで、文句を覚えることも、節まわしを覚えることもできないだろうと、たかをくくっていた。

だが角栄の語り口は浪曲師はだしであった。

――なかなかうまい。本職はだしだ――

どうしても発音ができず、うしろにひっくりかえることもある角栄が、流暢な節まわしである。

先生はやがて角栄の信じられないほどの記憶力におどろかされた。

浪花節は、ゆるやかな節まわしで唄うくだりと語るくだりが交互につづく。唄うというよりも唸るような声で、人情話や任侠、剣客の話をおもしろくまとめ、一席について三十分から一時間のあいだ、聴衆をひきこむ。

ござのうえに座布団を敷きつめ、肩をふれあわせる満員の聴衆は、蜜柑や饅頭《まんじゅう》を食い、あるいは徳利《とっくり》の酒を飲みながら、苦難の人生に対しひらきなおったような、どこか野放図《のほうず》な感じのする唸り声に、開放感を味わう。義理人情、度胸ひとつの世渡り話を、わが身につまされて聞くのである。

角栄は、はじめて聞いたチョンガリが記憶に焼きついてしまった。

彼は、たった一晩聞いたチョンガリの物語と節まわしを、吸いこむように脳裡《のうり》にたくわえ、昼休みの時間に語りきれない部分は、翌日、またその翌日と聞かせつづけた。

同級生たちは角栄の熱演にひきこまれ、言葉もなく聞き惚《ほ》れていた。

金井氏は、のちに新聞や雑誌などに語っている。

「とにかく、とほうもない記憶力でした。浪曲などにはまったく興味を持たない、若い教師の私でしたが、ひと晩であれだけのことを頭に詰めこめるとは、驚きというより、いいようがありませんでした」

のちに、コンピューター付きブルドーザーなどと評される角栄の非凡な記憶力は、この時分から芽生えていたのである。

その頃、田中家の厩舎《きゅうしゃ》には、桃林《とうりん》、弥彦山《やひこやま》、姫駒《ひめこま》など、数頭の競走馬が飼われていた。角栄は、鐙《あぶみ》に足がとどかない八、九歳の頃から、夕方になると大柄な競走馬に乗り、運動をさせてやった。

それは角栄にとって誇らしい仕事であった。ふだんはえらそうなことをいっている同級生たちも、こわがってそばへも寄れず、巧みに馬を操り、ときには疾駆させる角栄の姿に、遠くから見とれていた。

角次が外国から輸入したサラブレッド種の馬を飼い、競馬の勝負にうちこむようになったのは、フメを楽にさせ、角栄を上級学校に進ませてやりたいと考えてのことである。なみの農民が手を出せるようなものではない勝負をやるために、角次は東京の目黒競馬場、横浜の根岸競馬場、九州の小倉競馬場、京都、大阪の競馬場を転々と移った。

家には数カ月も帰らないことが多かった。

フメは、角次が大損をしても愚痴をこぼしたことがない。角栄には母の気持ちが分かっていた。家族のために利益を得ようとして運のめぐってこない夫を、ひたすら押したてるのは、ふかい夫婦の情愛がなければできないことであった。

角栄が小学校六年生になった昭和五年一月、浜口内閣は金本位制に復帰し、年間の金正貨海外流出高は、三億円近くになった。

新潟県では小作争議が各地ではじまり、四月に県内の王寺川村《おうじがわ》（現長岡市）で小作人が地主を襲撃する事件がおこった。前年十月二十四日、暗黒の木曜日と呼ばれた、ニューヨーク株式市場大暴落にはじまる世界恐慌が、日本に波及し、各企業の人員整理に抵抗するストライキが続出、年間の全国失業者数は、三十二万余人に及んだ。

二田村では、村民たちの現金収入源になっていた西山油田が、乱掘により衰退したので、農作業のほかに得られる収入は、米の積み出しぐらいであった。

角栄の家のある二田村坂田から西山駅までは凹凸の多い道が半里ほどつづいている。一俵六十キログラムの米俵を、バタと呼ぶ背負子《しょいこ》で担ぎ、駅まで往復二時間ほどかけて歩き、十銭の手間賃をもらう。近くで暮らしている山伏に女衆十数人が占いを受けた時、フメはこう言われた。「おまえさんはいま苦労の連続だが、将来はきっと枯れ木に花が咲くというすばらしい運命が待ちかまえている。子どもをたいせつに育てなさい」（谷村幸彦著『総理のおふくろ』）

フメは農閑期になると、米運びを一日に四、五回はやる。男でも骨身にこたえる重労働であった。フメは、吹雪の日も何銭かの割り増しがもらえるので、休まなかった。

ほかに、現金を手に入れる手段がまったくない辛さを、角栄は思い知らされた。吹雪のなかをよろめき歩く母の手助けをしたいが、小柄な角栄には、六十キロの米俵は担げなかった。

角次の持ち馬が、各地の競馬場でたまに勝つこともあるが、勝率はかんばしくなかった。ちょうど田植えの季節であった。角次の馬が新潟競馬に出場することになった。

村の男たちが、しきりに噂をしあっていた。

「角右衛門《かくえん》のところの馬が、こんどは勝つっちゃ」

「そうだな。ひさしぶりに金儲けできりゃ、母《かか》がたすかろう」

角栄たち家族はレースの大勝を祈《いの》っていたが、勝つはずの馬が競走しているうちに怪我《けが》をしてしまった。

「ゴ　ロクジュウエンカネ　オクレ」

という角次からの電報が届くと、フメは顔色を変えた。

それだけの金を、どうして工面《くめん》できるのか。ない袖は振れないという諺が、角栄の心にしみた。

「近藤のおじさんに貸してもらうしかないっちゃ。俺が頼んでくるよ」

近藤という材木屋は、角次の従兄弟《いとこ》で、その娘を将来角栄の嫁にもらうという話があった。

「お前を借金にいかせたくねえ」

フメは嘆いたが、角栄は頼みにいった。

材木屋は商品価格の上下が激しく、手付金をうって先物取引ができるので、思惑があたると莫大《ばくだい》な利益を得られるが、失敗すれば大損をするので、男商売といわれていた。

近藤家にも、田中家と同様に農業だけではおさまらない、射倖心《しゃこうしん》が伝わっていたのであろう。大金を動かしているので、暮らしむきは派手である。

「そんだらぽっちの金なら、いつでも貸してあげるよ」

近藤のおじさんは、角栄が頼むと、こころよく応じた。

「しかし、お前の親父《おやじ》も、なかなか思うようにはいかんねえ」

帰りがけの角栄の背中に浴びせられた近藤の一言が、角栄の身に沁《し》みた。

角次は田中一族の本家でありながら、どの分家にくらべても貧しい状態だった。しかし、その現状をかえりみず、村内の誰彼《だれかれ》に借金をして、競馬で失敗すると、やけになり浴びるほど酒を飲み、さらに借金をかさねる。

フメは借金で迷惑をかけた村内の家のまえを通りすぎるとき、足袋をぬぎ、手をあわせて拝むのが常であった。

角栄の胸には、そのような家の実情がくさびのようにくいこんでいる。

借金をして帰ってゆく角栄は、近藤の言葉を反芻《はんすう》した。雪国に育った人間には、物事をふかく考えこむかたむきがある。

近藤の言葉には、無能な角次への侮蔑《ぶべつ》と、金を貸さねばならないいまいましさが、粘りつくようにこもっていた。

——俺は将来、絶対にひとに金は借らねえ——

朝夕はまだまだ冷え込む居間で暖をとりながら、不運な境遇に堪えてゆかねばならない怨念の焔《ほのお》が、角栄の身内に、ともった。

角栄は借りた金を持って、西山駅から越後線で、競馬場のある関屋駅へむかった。窓にもたれていると、西山駅と礼拝駅のあいだにある田中家の田圃で、田植えをしている母の姿が見えた。

角栄は窓をあけ、懸命に呼びかけながら手を振る。フメは気がつき、立ちあがって手を振った。

角栄は汽車のなかで考えた。

――母《かか》が一日田圃ではたらいたら、いくらもうかるべえか。父《つあつあ》にとどけにゆく金をもうけるために、母は幾十日はたらかねばならねえか――

角栄は競馬場で角次に金を渡すと、とめるのもきかず、つぎの列車で西山駅にひきかえした。

角栄は成績が優秀であったので、先生にすすめられていた。

「お前は五年修了で、柏崎の中学へいける。いかないか」

角栄はことわり、小学校高等科へ進むことにした。フメの重荷を一日も早く肩がわりしてやりたかったからである。

角栄は、昭和六年三月に小学校を卒業し、高等科へ進むことにした。分家の長男は、東大農学部に進み、三男は師範学校の寄宿舎にはいっている。従兄弟は柏崎の中学校に学んでいた。

東京の私立大学に進学した親戚の青年もいた。

「俺のところは金がないでがん、上級学校にはいけねえさ。しかし努力さえすれば、道はひらけるでソ。専門学校の検定試験ぐらいは、講義録で勉強して通ってやるけ」

角栄は高等科を卒業したときは、ブラジルへ開拓移民としてでかけ、アマゾンの荒野を開拓してみたいなどと、雪国の狭い世間をはなれる夢想に、心をなぐさめた。

高等科に進み、体力がついてくると、角栄は母の野良仕事を手伝う。そのかたわら、吃音矯正につとめた。

夏の夜、観音堂で近所の老若が集まり、ご詠歌をとなえる。その会にはかならず出席した。お経も読む。漢詩三千を覚えようと、努力する。

チョンガリのレコードを買い、そらんじて山中に入り大声で唸る。難解な熟語のつらなる法律書を、音読する。村の雄弁大会で優勝するのが、目標であった。

――俺は体が丈夫になった。頭も悪くない。至誠の人、真の勇者だ。俺は勇者になるっちゃ――

角栄は、角次が傾けた田中の家運を、きっと盛り返してやると、思いつづけていた。彼の頭脳のなかでは、さまざまな考えがせめぎあっている。

ある日、角栄はフメに聞いた。

「母《かか》は、俺が何になれば、うれしいかね」

フメはしばらく考えてから、答えた。

「そんだなあ。越後線の駅員などは、楽をして月給くれるから、ええでねえの」

角栄は言葉につまった。たしかに駅員は安定した職業であった。

そんな人生を送るつもりはなかったが、母が、自分の前途をそのように考えているのかと思えば、なんとなく気弱になった。

昭和八年三月、角栄は高等小学校を首席で卒業し、総代として答辞を読んだ。

「残雪なお軒下にうずたかく、いまだ冬のなごりも去りがたけれども、わが二田の里にも更生《こうせい》の春がおとずれようとしています」

卒業後、角栄は三カ月ほど家にいて、中学講義録を読み、書道を自習して日を過ごした。

角次は上級学校へ進学させてやれなかった角栄に、すぐにはたらきに出るよう、うながさなかった。

当時、県は国の補助によって、不景気のどん底にいる農民をたすける、土木工事をはじめていた。

角栄の家の間近にある、御坂《おさか》と呼ばれる坂道の切り下げ工事が開始され、村の男女が総出ではたらきはじめた。

かなりの老人に見える人も参加して、トロッコや猫車で土石を運んでいる。

「よし、俺も一丁やってみるか」

フメは賛成した。

「土木仕事でもかまわんちゃ。やりてえことをやってみな」

角栄はフメに地下足袋を買ってもらい、七月一日から、土木仕事をはじめた。朝五時から夕方の六時半まで、角栄は体力にまかせ、わきめもふらずトロッコを押す。

ある日、泥と汗にまみれてはたらいている角栄のまえを、いつの間にかいいなずけのような間柄になっていた材木屋の娘が、着飾って通りかかった。

角栄がまだ家で遊んでいると思い、たずねてきたのだが、おどろいて通り過ぎていった。人目に立つ彼女を、作業員たちがはやしたててからかったためである。

その夜は、きれいな星月夜であった。角栄は材木屋の娘と、丘のうえにある観音堂へいった。五、六十段も石段のあるお堂の縁側から、静まりかえった村の夜景を見渡し、声をあわせ、ほろ馬車の歌をうたった。

日本海から吹きわたってくる風がさわやかで、村の家並みに電灯の明かりが夜の更けるまでかがやきあっていた。みじかい夏を楽しみ、家族、隣人が茶をのみ、語りあっているのである。

二田村の風光は夏の紫外線のため白くにじんでいて、淋しい気配がいつもただよっていた。ガランとした村道に風が吹くと白い砂埃《すなぼこり》がたち、海辺の砂浜を照らす陽射しも白けていて海の色も淡い。

「こんな淋しい土地で、一生を過ごす気はないぞ。いつか好機をつかんで、万丈の気を吐いてやるっちゃ」

角栄はいいなずけに胸のうちを語った。

七月一日から三十一日まで、休まず夢中にはたらいて、月末の給料をもらう日がきた。男は一日七十五銭、女は五十銭の日給である。角栄は少年であるが、大人の男たちの倍もよくはたらいたと自負していたので、給料は男女の中間の六十五銭はもらえると期待していたが、受け取った給料袋には、一日あたり五十銭の十五円五十銭しか入っていなかった。角栄は翌日から工事現場に出るのをやめた。請負業者は、はたらき手の角栄がこなくなったので、あわてて使いをよこし、「六十銭出すから、きてくれ」という。角栄は顔を紅潮させて答えた。

「作業員の勉強は、十分したでがん。今度は技術を身につけて、工事監督にでもなるっちゃ」

当時、柏崎に県の土木派遣所があり、そこで雇員を一人募集していると、祖母の弟の源作おじに教えられ、応募してみた。

源作おじは村役場の戸籍係をしていたので、こんなことには早耳である。

「まあ給仕とたいして変わらねえだろも、いちおうは県の役人だでがん」

応募資格は中卒以上となっていたが、かまわず履歴書を送った。たぶん不採用だろうとあてにもしていなかったが、八月なかばに採用通知がきた。柏崎へいってみると、応募者は二十人ほどで、高等小学校卒業の学歴は角栄ひとりであったが、履歴書の筆跡が抜群にすぐれていたので、採用されたのだという。

「習字の勉強をしたのが、思わぬ拾いものになったさ」

角栄にトロッコ押しの日給を、五十銭しか払わなかった工事現場の監督たちは、おどろいていた。角栄が県土木部の役人になれば、自分たちが監督されるのである。

柏崎で「役所」と呼ばれていた土木派遣所は、町のまんなかにある古びた洋館で、「産米検査所」と同居していた。

うすぐらく、天井がむやみに高い洋館は、昔郡役所に使われていたという建物である。広大ではあるものの潮風のさわがしい、陰気な建物のひと部屋を借りて、生まれてはじめてひとり住まいをすることになった。

利発で気のきく角栄は、同僚、上司にかわいがられた。彼の特徴は年寄りに気にいられることである。

フメは、はじめて手離した角栄が気になるらしく、二、三日おきに越後線で里芋、ごぼう、玉ねぎなどを持ってきてくれる。

角栄は大根、人参、ごぼう、こんにゃく、焼きどうふ、こぶまきなどに塩鮭《しおざけ》の頭をいれて煮込む、「のっぺ」といわれる郷土料理をつくるのが上手であった。

ほかに、海草を寒天のようにしたものを酢味噌につけて食べる「えご」、えいを乾かした「かすべ」を醤油と酒、油で煮る料理も得意である。のちに彼はそうした料理を家族のため作ることがあり、娘・眞紀子はそれをほめてくれたという。

ある日、町なかを流れる鯖石川に鉄筋コンクリートの橋がかかった。長さは四十三・三メートル、幅五メートルである。

派遣所には、書道の達人といわれている書記がいた。彼がすすめた。

「君、橋の銘板の字を書いてみねえか」

角栄はよろこんで「てんぽばし」という字を、銘板に書きいれた。

彼は中学講義録で勉強をつづけていた。いつかきっと東京へ出て、自分の能力を生かしたいという願いが、柏崎で日を過ごすうちにつよくなっていた。

三番さん、という女性と知りあったのはその頃である。

土木派遣所の電話は、柏崎の一番であった。警察署が二番、町役場が三番、税務署が四番、郵便局が五番である。


町役場と派遣所は、毎日頻繁に電話連絡をとりあう。三番からかかってくる電話の声は、澄んでいて艶がある。

「一番さん」、「三番さん」と呼びあううち、会ってみると三歳年上の女性で、勝ち気でかしこい人であった。角栄は「大学の唄」という映画を、ふたりで見にいったことを、後年まで覚えていた。淡い恋である。女きょうだいのあいだで育った角栄は、年上の三番さんに自然に親しむことができた。

冬になると、鵜川《うかわ》の河口に漂砂《ひょうさ》が堆積《たいせき》し、対岸に渡れる。下駄ばきで磯伝いに番神崎まで、ふたりで歩いたこともあった。米山の山裾《やますそ》が日本海へ突きだしたところが番神崎で、ものさびた御堂があった。

角栄が東京へ出て勉強したい希望を抱いているのを知っている彼女は、励ましてくれた。

「あんたが早く東京へゆけるよう、神さまに祈ってあげるっちゃ」

銀細工のような山野に、シベリアおろしが音を立て吹き荒れていたが、角栄は三番さんといるとき、心があたたまった。

角栄の希望の達成される日が、意外なほど早くめぐってきた。

柏崎へきて半年あまりがたち、町のカフェーやバーにも親しみかけた頃、隣村の役場で土木係をしている土田という老人が、派遣所へ駆けこんできた。

「田中君、よろこべ。君の念願はかなったぞ。東京へ勉強にいけるでかん」

かねて土田に、将来の希望を語っていた。土田はわがことのように、角栄の発展を願ってくれた。角栄には、年長者にはかわいがられる人なつこさがある。

「それは、ほんとうですかのう」

「ほんとうだとも。先日、大河内先生にお会いしてソ。君が東京で勉強したがっているというと、先生は引きうけようとおっしゃられてのう。君は大河内邸の書生となって、学校へ通えるのだで」

当時、子爵大河内正敏は農村工業論をとなえており、日本の重化学工業主義を担う重要人物だった。

彼の主宰する理化学研究所の工場建設地として柏崎をえらび、すでにピストンリング、電線、自転車の工場を進出させていた。角栄はその日のうちに二田村の家へ帰った。途中、フメが悲しむだろうと気になってしかたがなかった。競馬場まわりで家に寄りつかない角次のかわりに、頼りにするひとり息子を東京に出すのは、心細いだろうと胸がいたんだ。

発展のいとぐち

残雪がうずたかい二田村へ戻ると、フメは角栄の上京を意外なほどによろこんでくれた。

「これは旅の支度をする金だ。取っとけや」

「そんなものはいらねえ。金はあるでソ」

角栄は小柄な胸を張った。苦しい世帯を支えているフメから、金をもらうつもりはない。

「いいさ、きっとこんなときがくると思っていたから、お前が月給を倹約《しまつ》して送ってくれた金は、手をつけねえで積みたてていたんだ」

フメは貯めていたという金のなかから、十円札をつまみだし、角栄に渡した。

「これを、いつでも腹巻に入れとけや。失うでねえぞ。男は家を出りゃ、どこで災難にあうか分からねえから、死んでも無一文じゃ笑われる」

当時の十円札は、いまの十万円より価値があった。

筆者は昭和十年頃、父の簞笥《たんす》の引出しをあけ、百円札を見た記憶がある。桐の箱に入れられ、薄い上紙《うわがみ》のなかに鎮座していた百円札は、いまの百万円の束よりも、はるかに重厚な感じがした。

　フメは十六歳の角栄に、こまごまと処世の心得を教えた。

「大酒は飲むな。馬は持つな。できもしねえ大きなことはいうな」

　これは、フメが散々苦しめられた角次の性癖であった。彼女は言葉をつづけた。

「人は休まねば体をいためる。だども休んでからはたらくか、はたらいてから休むかとなれば、はたらいてから休むようにしろ。悪いことをしなけりゃ暮らしていけなくなったら、すぐ家に帰ってくるんだ。金を貸した人の名は忘れてもいいが、借りた人の名は絶対に忘れちゃならねえでソ」

　昭和九年三月二十七日午前九時、角栄は柏崎駅から、信越線回り上野行きの列車で、東京へ出発した。

　晴れわたった青空に、雪をかぶった米山が眩《まぶ》しくかがやき屹立《きつりつ》していた。駅のホームには、半年ほどのあいだに親しんだ町村役場の人々が、三、四十人ほど見送りにきてくれたが、何度か逢瀬を重ねた「三番さん」の姿がなかった。

　角栄は皆と手を振って別れたが、わびしさが胸のうちにわだかまっている。

　各駅停車の列車がつぎの鯨波《くじらなみ》駅に着くと、角栄はおどろいて窓をあけた。プラットホームに「三番さん」がただひとり立っている。

　停車時間は三十数秒で、二人は言葉を交わす間もなく別れた。角栄の振ったハンカチは、

「三番さん」の手に残り、角栄は彼女の手紙をうけとった。

「よく勉強ができますように、番神さまにお祈りしています」と書かれていた。

角栄の乗った列車が直江津、高田を通り、田口（妙高高原）関山あたりへゆくまでは雪が深かったが、長野から小諸と南下するに従い、うっすらとした積雪になった。軽井沢までくると、信越本線に沿う国道十八号線の路面に雪がなく、白くきれいで印象に残った。

午後五時過ぎに、高崎駅に下りた。父の角次が高崎競馬に二頭の持ち馬を出走させていたからである。

角次の宿は市外にあった。「こんどは勝てそうかい」と聞こうとした角栄は、父の元気ない様子を見て、口をとざした。

角栄は八十五円ほどの金を持っていた。東京へいけば、学校の入学金と月謝に十五円も残しておけばよかろうと思い、父に五十円を渡し、桐生《きりゅう》に嫁いでいた姉に会い、二十円を渡すと、残金は十五円になった。

勝てる見込みもない馬と旅をつづけている角次に金を渡そうと、柏崎を出るときから思っていたので、気が楽になった。

父の宿に一泊し、翌朝の出がけにフメの言葉を思いだし、腹巻に十円札を入れたので、財布に残ったのは五円になってしまった。

上野駅につくと、タクシーに乗った。さしあたってのおちつき先である、日本橋の井上工業という土建会社の東京支店へゆくためである。

柏崎の土木派遣所に同居していた、産米検査所の尾崎さんの義弟、吉田猛四郎《たけしろう》という人が支店長である。上京にあたって、尾崎さんが紹介してくれた。

家を出るとき、フメがいった。

「東京は物騒なところだ。はじめは電車やバスに乗らねえで、タクシーに乗りな。運転手に所番地を書いた紙を見せれば、まちがいなく連れていってくれる」

角栄はタクシーに乗るなり、日本橋本石町《ほんごく》三丁目六番地と書いた紙を運転手に渡した。上野から十分か十五分と聞いていたが、タクシーは一時間ほども走りまわっている。たしかめようといらだつが、なんとなく遠慮するうち、大きなビルの前でタクシーは停まった。

「ここらで下りろ」

「いくらです」

「五円だ」

じょうだんじゃないと思い、「そんな大金はない」と口走った。

「そうか、じゃ交番へ行こう。下りろ」

ビルのむかいに、ほんとうに交番があった。あとになって、大きなビルは日本橋髙島屋で、むかいの交番は、通り三丁目交番であると分かった。

しかたなく五円を払い、日本橋の上で下ろされた。橋際の公衆電話から井上工業に電話をかけると、三越をはさんで目と鼻のところにあった。東京についた最初の日に、おのぼりさん扱いをされ、ひどい目にあったのである。

傷心の角栄は、井上工業の吉田支店長に会い、親切にもてなしてもらい、ようやく元気をとりもどした。その夜は、支店長の親しい神田旅籠《はたご》町の旅館に泊めてもらい、相撲で立ちあがりざまに張り手をくらったような衝撃から、ようやく立ちなおった。

翌朝、三月二十九日の朝、窓をあけておどろいた。新潟と同じような湿っぽい牡丹《ぼたん》雪が降りしきっている。東京ではめずらしいことだという。

角栄は小さなトランクを提げ旅館を出ると、降りしきる雪のなかを、室町三丁目の四つ角からバスに乗った。

旅館の女中さんが見送ってくれ、手を振って別れたあとは、心細くなった。現代であれば、ひとりでパリの地下鉄にはじめて乗った日本人のような心境である。

バスの車掌の言葉を懸命に聞きとろうとするが、あまりにも早口なので、どこをどちらにむかって走っているのか、さっぱり分からない。見当もつかないまま、不安でたまらなくなった角栄は、しかたがねえと、どこの停留所かも分からないまま、バスから飛び下りた。都合よく上野不忍池《しのばずのいけ》の畔《ほとり》であった。不忍池は写真で見て知っていた。さほど大きくはないが、雪景色は錦絵のようである。

講談やチョンガリでしばしば耳にする不忍池に沿い、右にまわってゆけば谷中《やなか》清水であると、道ゆく人に幾度もたずねて知った。

大河内正敏の屋敷は、下谷《したや》区谷中清水一番地である。大河内邸に着いてみると、華族の住いであるだけに、延々と塀がつづく、いままでに見たこともない大きな屋敷であった。

いなかから出てくると、東京の大建築に威圧をうけてばかりいた。ビルディングなどは、目もくらむように巨大であった。

いなかで見なれた巨大な建物といえば、小学校と郡役所ぐらいであった。角栄は、くすんだ檜《ひのき》の門扉が左右にひらいているのを、外からのぞく。

玄関まで長い石畳で、その両側に小砂利が敷きつめられている。角栄はしばらくためらっていたが、思いきって入っていった。

玄関で声をかけると、品のいい四十すぎぐらいの女性が出てきた。角栄が訪問のわけを吶々《とつとつ》と述べると、何の感情もあらわさない声で返事をした。

「殿さまは、お屋敷ではどなたにもお会いいたしません」

角栄は全身から力が抜けたように、立ちすくんだ。

——なんちゅうことだ。俺は何しに東京へきたんだ——

トランクを提げたまま、言葉もない角栄を、応対の女性は気の毒に思ったのか、つけくわえるようにいった。

「殿さまは、午前十時までに、本郷上富士前《ほんごうかみふじまえ》の理化学研究所へお出かけになります。どうぞそちらのほうへ」

静かに障子はしまった。

角栄は障子にむかい、しばらく立ちつくしたままであった。

「本郷とはどこですか。理化学研究所とはどんなところですか」

という質問が、口から出ないうちに、女性は障子のむこうへ消えてしまった。

これはいかんと、角栄は挫《くじ》けそうな気分をひきたてようとした。

バスの車掌も、いまの女性も、きわめて早口で切り口上というのか、とりつく島もないような、そっけない話しかたである。

東京へはじめて出てくるまで、角栄は大河内の屋敷をたずねさえすれば、すべてが順調に運ばれると思いこんでいた。

親切な女中や書生さんが取りついでくれ、先生がすぐに会ってくれる。先生は土田老人との約束をおぼえていて、さっそく角栄を書生として屋敷に住みこませてくれ、しかるべき上級学校へ通わせてくれる。

そのようにたやすく事が運ぶと思いこんでいた角栄の楽観は、たちまち粉砕された。

——東京へはじめて出てきたおのぼりさんと見られてタクシーの運転手にさえだまされる俺だ。本郷がどこにあるか、理化学研究所とはどんなもんか。大河内先生ちゅうのは、そこの社長か、所長か分からねえ。殿さまなんて呼ばれる人にゃ会ったことがねえでソ。カミフジマエ（上富士前）といわれても、字で書いてくれりゃ分かるが、早口でしゃべられても、何のことか分からねえでがん――

これはどうにもならない。俺のような小僧っ子が、理化学研究所へいって隣村の村役場土木係にいる土田の爺《じい》さんからいわれてきたなどといったところで、相手にはされないだろう。東京はたいへんな所だと意気消沈した角栄は、雪のなかを、ただひとつの知る辺である日本橋本石町の、井上工業へ帰るしかなかった。

角栄は途中のバスのなかで、懸命に考えを練った。

――俺は目算《もくさん》が狂ったようだ。大海に流れ出た木の葉のようなもんだが、このまま縮んでしまって村へは帰れねえっちゃ。新潟は東京へ出稼ぎ人をいっぱい出してきた県だ。なんとしても踏んばるぞ――

角栄は今後の方針を、どのように変えればよいか、いますぐ結論を出さねばならない。活路を見出さなければ、喪家《そうか》の狗《いぬ》のようにみじめな姿で、二田村へ戻るよりほかはない。

――俺はたとえひと月でも、土木工事をやった。柏崎の土木派遣所で、半年間雇員《こいん》をつとめた経験もある。

こうなれば同県人の支店長に頼みこんで、東京で生きてゆく道を切りひらいてゆくよりほかはない――

角栄は井上工業へ戻ると、吉田支店長に事情をうちあけ、懸命に頼んだ。

「自分は上級学校へ進学したいために上京したのですけ、このまんまいなかへ引き返したくはありません。どうか自分をここに置いて、使って下さい」

吉田支店長は真剣な角栄の頼みを、聞きいれてくれた。

「理化学研究所の総帥の書生に、簡単にはなれるものじゃないよ。土田という爺さんがどういったか知らないが、紹介状も渡さずに君ひとりを上京させたって、話が通じなくてあたりまえだ。よし、うちで雇ってあげよう。小僧として住み込みたまえ。昼間は工事現場ではたらいて、夜学に通えばいい。しばらく住んでみれば、東京の暮らしにも慣れてくるさ」

「ありがとうございます。助かりました。精いっぱいはたらきます」

井上工業東京支店は、日本橋の傍に現存している常盤小学校（昭和三年落成）のまむかいにある、ちいさな木造三階建てで、延べ面積は六、七十坪である。

社長は井上保三郎《いのうえやすざぶろう》という、群馬県高崎市を代表する名士である。

角栄は海城中学校の二年か三年に編入してもらうつもりであったが、昼間ははたらかねばならないので、土建会社の小僧になったことでもあり、神田猿楽町《さるがくちょう》にある、当時、夜間専門の私立中央工学校の土木科に入学することにした。

通学をはじめると、講義録であらかじめ勉強していたのが役立ち、工業英語の暗記にいくらか骨を折ったくらいで、数学の時間には代講をつとめるほどの実力があり、楽しく授業をうけられた。

夜学のほうは問題がなかったが、仕事の内容はかなりきびしかった。

井上工業東京支店の一階には、井上社長の経営する「中川テープ」という子会社が同居していた。この店に小僧が二人いる。

井上工業の小僧は、後に角栄の側近で、刎頸《ふんけい》の友といわれる入内島金一《いりうちじまきんいち》という男と角栄の二人である。中川テープの小僧である田村と千本松は通勤である。

入内島金一は角栄より二歳年長で、新宿の工学院（のちの工学院大学）の土木科へ通っていた。

角栄は入内島とともに午前五時に起き、六時までに掃除を終えた。その時分に田村と千本松が出勤してくる。

朝食をとると、すぐ工事現場の手伝いに飛びだす。当時、井上工業は月島の水産試験場新築工事、堀切橋のかけかえ工事、上野のプール工事などをすすめていた。

現場に着くと、夕方五時頃まではたらき、六時の中央工学校の始業時間に間にあうよう、自転車で駆けつける。

授業は六時から九時までの三時間で、遅くなっても九時半には終業する。工事現場から本石町の店へ寄ることもあるが、ほとんどの日は現場から学校へ直行する。

入学してまもない日の夕刻、角栄は自転車を飛ばし、神田の学士会館の横手から大通りへ出て、市電のレールを横切ろうとした。あわてていたので気づかなかったが、真横に市電が近づいていて、「あっ、轢《ひ》かれた」と思った瞬間、はね飛ばされた。

市電の前部には金網の救助器が突きだしており、線路の敷石との隙間《すきま》をふさいでいるので、角栄は轢かれなかったが、自転車とともに六、七メートルほども石畳のうえを押され、転げまわった。

車掌が窓から顔をのぞかせ、大声でどなったが、角栄は答える余裕もない。血のにじむすりむけた腕で、リームのゆがんでしまった自転車を押しながら、神保町《じんぼうちょう》の交差点にむかって歩いた。そのみじめな思いを、いつまでも忘れなかった。

中央工学校は木造二階建ての校舎で、水道橋駅に近い路地の奥にあった。町名は仲猿楽町《なかさるがくちょう》である。

授業が九時か九時半に終わると、十時前に店に帰れた。それから先輩の入内島金一と手分けをして、翌日の仕事に必要な職人の手配をする。

不景気の最中で、請け負った仕事は原価ぎりぎりに見積もっていた。仕事を与えられても、儲けるよりも損をしないように、工程を無駄なく組みたてねばならない。

下請けの大工、左官、鳶《とび》職人、建具職人に半日とか一日の手待ちをさせれば、たちまち赤字が出る。

角栄は、翌日の職人の現場別の出面《でづら》（出勤表）をつくるため、前夜のうちに芝や上野の左官、大工の親方の家を自転車でたずね、うちあわせをした。

しだいに東京の地理も分かり、仕事の要領ものみこめるようになった。

新しい瓦《かわら》の荷が、深川の倉庫へ船で送られてきた。ところがその日は手配をしていた作業員が、手違いでもあったのかひとりもこない。

角栄は入内島と二人で、はじめて沖仲仕の仕事をすることになった。

入内島とはめずらしい姓である。戦国の昔、上杉謙信の家来に、鬼小島弥太郎《おにこじまやたろう》という豪勇の士がいた。

鬼小島の子孫は新潟から群馬へ移り、入内島と名乗るようになったという伝説を、角栄も知っている。

豪傑の血を引いているかも知れない入内島金一は、角栄が生涯にわたっての刎頸の友と呼ぶ親友となった人物である。

角栄は入内島と瓦の荷揚げをはじめた。荷船と倉庫のあいだには、三寸（約十センチ）ほどの厚さの杉板が渡されていた。

角栄は、瓦を運ぶ仕事を甘く見ていた。何枚かずつ荒縄で束ねたのを担ぎあげ、倉庫へ持ちこむのだが、踏み板を渡り始めると、体と瓦の重みで板がたわみ、はねかえってくる。

角栄はそんな反動がくるとは知らなかったので、踏み板の途中で立ち往生をした。そのまま水中へ飛びこみかねない。

入内島も必死の形相で、かろうじて体のつりあいをとりながら、渡ってくる。

「よっぽど足腰がやわらかくなければ、だめだなあ」

二人が冷汗をタオルで拭《ふ》きながら、危うい足どりで瓦を運んでいると、遠くから見ていた沖仲仕の親分らしい人が、大声で叫んだ。

「おーい、腰だ腰だ」

なるほどそうかと、角栄たちはうなずきあった。

肩で担ぐのではなく、腰で担ぐと思えば、うまく拍子《ひょうし》がとれてくる。

「人生は何でも腰だなぁ」

角栄が呼びかけると、金一は汗のしたたる顔でうなずいた。


角栄は人間の心の動きについて、鋭敏な感覚をそなえていた。

ある夜、角栄は工学校からの帰途、自転車で一ツ橋、神田橋、鎌倉河岸と走り抜け、本石町の店へあとひと足というところで、新常盤橋際の交番につかまった。

「こらっ、ちょっと待てっ」

巡査にどなりつけられ、気づいてみると、無灯火である。

「気がつきませんでした。勘弁して下さい」

懸命にあやまったが、巡査は許してくれなかった。

「勘弁できない。法律違反は許せん」

角栄は抗弁した。

「私は将来、国家有為の材となるため、夜学に通っています。その私が、法律を意識して破るはずがありません。無灯火にまったく気がつかなかったんだから、意思なき行為で法律もこれを罰せずです」

「なんだと、妙な法律用語をふりまわして、無灯火とは、なおもってけしからん」

巡査はいきりたった。

角栄は怒りをつのらせる巡査を見るうちはっと気づき、平あやまりに詫《わ》びた。

「私は毎晩ここを通ります。今後一度でも無灯火で自転車に乗っていたときには、厳罰をお受けしますので、今夜だけは寛大にお願いします」

「それなら、まあ見逃してやろう」

おそろしい剣幕《けんまく》であった巡査が、口もとをほころばせ、うなずいてくれた。

角栄はそのとき、自分が巡査の心の「ものさし」にあわせなかったため、いきりたたせたことに気がついた。

角栄は店に帰り、一刻も早く職人の数をそろえなければと、気がせいていた。いっぽう巡査は暇をもてあまし、なにか事件がおこらないかと待っていたのである。

こうして、たがいの心のものさしが違えばどうしても衝突する。衝突を避けようとすれば、相手のものさしにあわせなければならない。

我《が》を通せば失敗すると、角栄は後日に大きな影響を及ぼす教訓を得た。

そのいっぽう、角栄は自分のはたらきにふさわしくない待遇をされると、たちまちその職場を見限るという、気の早い一面もそなえていた。

月島の水産試験場の工事現場で、屋上のタイル目地仕上げを、役所の監督に命じられた。まず折れ釘《くぎ》で目地につまったモルタルの残滓《ざんさい》を掻きだす。

つぎに針金を束ねた金箒《かねぼうき》でこまかい掃除をして、おしまいに細い竹の小箒で仕上げる。あるとき、小箒で目地仕上げに熱中している角栄のそばへ、役所の監督がいつのまにかきていて、仕事ぶりをじっと見つめている。

角栄ははばかしくなった。

——こんな奴に見張られていて、はたらけるか——

角栄は小箒を放りだし、立ちあがった。

監督が眼をいからせ、何事かがなりたてるのを角栄は聞きもせず、足場を下りて早退してしまった。

現場では、大工、左官が大勢いた。ある日、鳶職の男が角栄に命じた。

「おい小僧、お茶を持ってこい」

角栄は癪《しゃく》にさわり、いいかえした。

「俺はお前たちの元請会社から、現場監督にきているんだ。そっちのほうからお茶を持ってきたらどうだ」

「何だこの野郎、ふてえ口をききやがるな」

数人の男がはじけるように立ちあがったが、角栄がそばのシャベルをとって身構えたので、乱闘にならずにすんだ。

角栄は、井上工業の待遇が、自分の労働にくらべ、むくいるところがはなはだすくないと、不満を抱いていた。

一カ月住み込みで、早朝から深夜まではたらき、もらう給料が五円である。

「二田村のようないなかで土木作業をしても、一カ月十五円や六円になるでソ。東京とは凄《すご》い所だ」

角栄は、先輩の入内島に内心を洩らした。こちらからむりに頼みこんだので、会社側に苦情もいえない。

工学校の月謝三円五十銭を納め、本を買い、なおかつ測量実習に必要な実費を払う余裕は、どうしても出てこない。

毎日、長時間の労働をして夜学に通うと、暑気のきびしい夏は、授業中にどうしても居眠りがでる。

それで、千枚通しや切り出しナイフの先をてのひらにあて、居眠りをすれば痛さで眼がさめるようにした。

ある晩、尖《とが》らせた製図鉛筆をてのひらにあてているとき、居眠りをして、芯《しん》を右手の親指にかなり深く刺した。医者に治療してもらいにゆく暇がなかったので、そのままにしたが、黒ずんだ痕が晩年になるまで残ってしまった。

校友会費一円を納入する日であった。角栄の所持金は一円五十銭余りで、心細いかぎりである。

登校の途中、道端に大道《だいどう》五目並べが店を出しており、「一番勝てば五十銭」と大書した看板が出ている。客が大勢集まっており、勝負に勝って、金を持って帰る者がいる。しばらく見物していたが、どう見ても簡単に勝てそうである。
二、三番勝ってみるかとはじめたが、最初の一番を勝っただけで、あとは五番つづけて負けた。
有り金をはたいても、間にあわない。

「金ができるまで、本を置いていきな」

「これは授業に使うものだから、だめだ。金をつくるあてもない」

いいあっているうちに、周囲にいた客が角栄のまわりを取り巻いた。

客と思っていたのは、大道香具師《やし》のサクラであったのである。角栄は、上京のとき次姉に七円で買ってもらった腕時計を、彼らにむしりとられてしまった。

中央工学校は、土木、建築、機械、製図と学科が分かれ、通学する生徒も十六、七歳から三十歳まで、年齢がさまざまで、たがいにかわす世間話も多彩である。

角栄が井上工業をやめようと思ったのは、その年の秋であった。通学するうちに、東京の就職事情がおおよそのみこめてきたからである。

炎暑が遠のき、朝夕の風がさわやかになった秋のはじめであった。

井上工業東京支店では、三河島の小学校新築工事を請け負っていた。木造二階建ての、かなり大規模な建築である。

角栄は陽の照りつける屋根にいて、スレートを葺《ふ》く仕事を毎日つづけていた。

ある日、スレート瓦をかさねた部分の角に、ドリルでちいさな孔《あな》をあける仕事をやることになった。力を入れるとスレートが割れるが、用心してやっていると、工事の進行に間にあわなくなる。

熟練したスレート工でなければできない仕事を、監督は未経験の角栄にやらせた。だが角栄は懸命に努力した。

手もとが狂い、二、三枚のスレートの端にひびが入ったとき、そこへ監督がきて、大声でどなりつけた。

なんといったのか、その声を聞いたとたん、角栄の内部でなにかが弾けた。彼はだまって立ちあがり、傍らのスレートのうえを歩いた。五、六枚がビシビシと音をたてて割れる。憤怒はそれでもおさまらない。うずたかく積みかさねているスレートに、ドリルを力まかせに押しつけたので、全部音をたてて割れてしまった。

気をのまれて黙った監督が、役所の人か、井上工業の人かは知らなかった。

――これでおしまいだ。いままで十分にはたらいたでソ。ばからしいことを、いつまでもやってられねえでがん――

角栄は自転車を全力でこいで現場から離れると、あたらしい仕事を探すため、新聞の広告欄を読みあさった。

世のなかは非常な不景気であったが、井上工業より多い報酬をくれる勤め先をみつけるのに、苦労をしなかった。

角栄は求人広告に応募し、小石川水道端の小山哲四郎《こやまてつしろう》という人の書生となって住み込むことにした。

小山は富山県人で、「保険評論」という雑誌を発行している学者であった。小山老人は若い二人の記者を使い、業界では高く評価される内容の雑誌をつくりあげている。

角栄は記者見習いとして、はたらくようになった。彼は生命保険、損害保険、当時の重要な分野である徴兵保険について勉強し、さらにカナダの保険会社が進出している折柄、外国の保険と日本の保険を比較する。

数学の得意な角栄は、保険数理学者になろうと考えたこともあった。

小山老人のもとで半年ほど過ごした頃、新潟の姉から、母フメが長く病床についているという知らせが届いた。

無口できびしい労働に堪《た》えてきたフメが、病床についたのは、症状がかなり重いためであろうと、角栄には分かった。角栄は小山老人の妻に頼んだ。

「すぐ見舞いに帰りたいと思います。五、六日休暇を下さい」

賃金の安さに加え、帰郷したさに、にせ手紙を送ってもらったように思われたのか、許してくれなかった。

角栄は、小山に直接頼むべきであったと思ったが、とっさに気がたかぶり、いってしまった。

「それでは今日かぎり、退職させていただきます」

角栄はその日の宿もないので、新潟から帰郷するまでのあいだ、布団包みと身のまわりの品を小山家に預かってもらうことにした。

彼はその夜、新潟への汽車に乗るまえに、新聞につぎの広告を出した。

「夜学生、雇われたし。住込みもよし」

返事は小山事務所あてに貰《もら》うことにした。

角栄は欅《けやき》づくりの机を一脚担いで、上野駅から上越線の夜行列車に乗りこんだ。車内に入れないので、デッキで一夜を明かした。

勤務先を転々と替える十六歳の少年は、いらだちをおさえられない。自分の能力にふさわしい仕事を見つけるまでは、彼はおちついていられない性格であった。

社会の下積みに甘んじてはたらきつづけるつもりは、まったくなかった。頭上にひろがる天井のような、厚い障害のすきまを、なんとしても見つけ、そこから這《は》い上がってゆきたい。

彼のひたすら上昇をめざす意志は、村に十数代も生きてきた先祖たちの願望が雪深い新潟の寒さにこりかたまったエネルギーであった。

角栄が帰宅すると、フメはひさびさに息子の顔をみて、たちまち元気をとりもどした。彼女ははたらきすぎて疲労のため寝込んでいただけで、その夜は角栄のために料理をつくるといって、きかなかった。

フメが元気をとりもどしたのに安心した角栄は、はたしてあたらしい勤務先が見つかっているだろうかと、心配しつつ東京へ戻った。ところが小山事務所へ顔を出すと、彼の出した新聞広告の返事として、五、六枚の葉書《はがき》がきていた。

その日のうちに就職先をきめないと、寝るところもない。角栄は葉書のなかから、芝琴平一番地の高砂商会をたずねることにした。

高砂商会は、琴平神宮の裏手で、虎ノ門公園と道ひとつへだてたしもたやで、門柱も扉も古びていた。

角栄は、こんどの就職には成功した。

高砂商会は、輸入専門の貿易商であった。アメリカのスチールウール研磨材の輸入元で、全国に卸《おろ》している。

高級カットグラスも輸入し、髙島屋、松坂屋などのデパートに卸している。くすんだふつうの住宅のような高砂商会は、外見によらず堅実な内容であった。

角栄が就職するまでは、社長の五味原太郎氏と奥さん、暁星中学に通っている長男とその妹の四人家族であった。奈良県の出身で、おだやかな性格の夫妻である。

角栄は夜学へ通うことだけを条件に雇われたが、一カ月はたらいて給料をもらうと十三円であった。住み込みなので、十円ぐらいであろうと思われたが、五味原氏は角栄が懸命にはたらく誠意を、評価してくれたのである。

高砂商会では、主人と雇い人というような区別はない。角栄は家族とともに起き、食事もともにとる。仕事も皆が協力してやる。

到着した荷をほどき、発送品を包装し、デパートへ納品しにゆく。目のまわるような繁忙のうちに一日が終わるが、角栄はうまくこき使われているというような気持ちになったことがなかった。

新潟の母やきょうだいとともに、はたらいているような楽しい毎日である。

五味原夫妻は、たいへん苦労した人で、角栄はその下で日を過ごすうちに、いろいろと生きかたについて学んだ。

角栄は毎日デパートに高級カットグラス製品を納めてから、夜学へ通った。

午前中はデパートの注文品をそろえ、ダンボール箱に納め、荷札をつける。午後はそれを自転車で運ぶ。午後六時から夜学がはじまるので、時間に余裕のあるときは、デパートの売り子にまじって販売を手伝う。

角栄には、その頃の忘れられない思い出があった。ある夕方、かなり遅い時間になって、髙島屋から、紫色に深い切り子のあるガラスの果物鉢四、五個を、至急届けてほしいと電話がかかった。

電話を受けたのは角栄である。彼はその頃、主人に相談せず、自分で注文をうけ、品物をえらび、包装、納品することを任されていた。

――髙島屋に納品してから登校すれば、授業に間にあわねえが、仕方がない。少々遅刻するか――

角栄は注文品を急いで包装し、自転車の荷台にくくりつけ、店を飛びだし、満身の力でペダルをこいだ。なるべく遅刻をすくなくしたい。

宮城の前を、馬場先門にむかい右に曲がろうとすると、荷の重みでバランスを失い、自転車に乗ったまま横転してしまった。

角栄は、しまったと痛さを省みずはね起きたが、自転車の荷台のガラス鉢はこなごなに砕けていた。

彼はすぐ琴平町の店へ引きかえし、注文された品物を同じ数だけ包装し、髙島屋へ届け、学校へ遅刻出席した。

こわれたガラス鉢は、原価にしても角栄の月給の三、四カ月分の価値があった。

講義を終え、店に戻ると角栄は五味原氏に昼間の失敗を報告し、軽率な行いを詫びた。

「大事な商品を破損させ、まことに申しわけがありません。こわれた鉢の原価は、月割りで給料からさしひいて下さい。私は月給の半額だけいただけば、学校の月謝には事欠きません」

五味原氏は、角栄が予想もしていなかった返事をした。

「怪我がなくて、なによりやった。おとくいさんに代わりの品をすぐ届けてくれたのは、ありがたかったよ」

奥さんも、角栄をなぐさめた。

「くよくよしなはんなや。稼いだら損は取り返せるんや」

夫婦は、角栄の月給から弁償金をとりたてようとしなかった。

角栄はこののち、不注意による他人の過失は、絶対に咎めないでおこうという原則を、心にきめた。

五味原夫妻の寛大な扱いによって奮起した角栄は、損失をつぐなって余りあるほどの販売実績をあげた。恩をうけた者は、それにもまして感謝を返す気持ちになるという事実をも角栄は知った。

彼は人を動かすには、きびしい叱咤《しった》激励よりも温情がはるかに勝っていることを、肝に銘じた。

昭和六年、満州事変がおこり、さらに昭和七年正月に上海事変、同年三月には満州国が建国された。

同年五月十五日、海軍青年将校と陸軍士官学校生徒らが首相官邸を襲撃し、犬養首相を射殺する五・一五事件がおこった。

世界の強国は、長びく不況のなか、しだいにファッショ化していった。昭和八年二月、日本は国際連盟の日本軍満州撤退勧告案に反対し、中国熱河省への進攻を開始し、三月二十七日には国際連盟を脱退した。

陸軍は将校不足を補うため、予備役、後備役将校から志願者を募り、少年航空兵制度を公布した。東北地方では冷害、大凶作で、秋から冬にかけ、農民の借金はかさむばかりで、娘の身売り、欠食児童、行き倒れ、自殺がふえた。

そのいっぽう、軍需景気で企業は設備投資を急ぎ、熟練工は引っ張りだこである。角栄が、海軍将校になりたいと考えたのはこのころであった。

角栄は海軍兵学校、海軍機関学校、海軍経理学校、陸軍士官学校が、旧制中学四年二学期修了の学力があれば、誰でも受験できるという実力主義をとっているのが気にいっていた。海兵、陸士の試験は、難関として知られている。全国の旧制中学第四、五学年の首席か二番までが、合格の限度といわれた。

角栄は父の仕事がいくらか好転してきたので、思いきって海軍への道を進もうと考え、二田村へ帰り、フメに相談した。

フメは海兵進学を即座に承諾した。

「お前はしっかりした子だから、なにをやってもまちがいはねえ。アニのいうことは信用する。海軍へいくのは賛成だから、家のことは心配しねえでやりな」

角栄は東京に戻ると、高砂商会の五味原夫妻に事情をうちあけた。

五味原は励ましてくれた。

「若いうちに、勉強しておくのが大切なことや。家にいて、昼間も通学してもええよ」

だが角栄は好意に甘えてはいけないと考え、五味原家を去って、下宿でひとり暮らしをはじめた。そうしたのは、生活を支える収入の目途《めど》がついていたからであった。

中央工学校の友人のひとりが、深川の古鉄商の下請け仕事で、機械を据えつけるための基礎図面や、再生機械の組み立て図面のトレースで、繁忙をきわめており、角栄はその仕事のまた下請けのかたちで手伝いをしてみて、おどろいた。

住み込み奉公の給料ぐらいは、かるく稼げる。角栄は深川の古鉄商をたずね、顔見知りになっていた番頭に頼んだ。

「これから住み込み先を出て、ひとりではたらきたいと思います。が、機械の基礎計算、図面のトレースの仕事を、継続してまわしてもらえますか」

番頭は、こころよく承知した。

「仕事はいくらでも出そう。適当な下請け先がなくて困っていたんだ」

角栄は、下宿を転々として猛烈な勉強をはじめた。

神田三崎町の研数学館、日土講習、正則英語学校、錦城商業学校の四年編入と、学校を渡り歩く。

海兵と陸士を受験する準備ができあがった。海兵の身体検査は目黒の海軍大学校、学科試験は築地の海軍経理学校でおこなわれる。

身体検査は一万三千余名のなかで十三番の好成績で通過した。身長五尺四寸一分（約一六四センチ）、体重十六貫三百匁《もんめ》（約六一キロ）であった。

だが、彼は学科試験を受験するまえに、海兵入学を断念した。

角栄が海軍兵学校学科試験の直前に、受験を断念したのは、母フメがまた病気になったという手紙が届いたためであるという。

角栄は海軍士官の給料で、母がはたらけなくなったとき、家計を支えてゆけるだろうかと考えた。

父の事業は好転しても、いつ苦境に陥るかも知れない。前途はきわめて不安定である。

海軍兵学校の就学期間は三年八カ月。卒業し少尉に任官して月俸は八十五円である。中尉から大尉に昇進するために、十年近い勤務が必要である。大尉の初任給は百五円であった。

角栄が海軍で望みうる最高の地位は、まず巡洋艦艦長ぐらいであろう。そうすれば、フメの肩にかかっている生計の重荷を、いつになったら取りのぞいてやれるのか、見通しがつかない。

このために、角栄は海軍へ進む夢を断念し、暮夜ひそかに泣いたという。

しかし、角栄は海軍将校の俸給額を、受験直前にはじめて知ったわけではなかった。彼は数カ月前まで高砂商会に住み込み、十三円の給料を、それまでの勤務先の待遇とくらべ、過分であるとよろこんでいた。

高砂商会の勤務を三、四カ月でやめたのは、深川の古鉄商から図面トレースなどの内職が継続して与えられるとの、見込みがたったためである。

角栄が下宿住まいをして勉学し、夜は内職で生計をたてるようになったのは、昭和十一年である。その年、二・二六事件がおこったあと、軍部は急速に軍備拡充方針をうちだし、軍需産業があいついで設立されていった。

角栄が中央工学校で学んだ技術を生かす、製図、重量計算などの注文が、古鉄商からあいつぎ、海軍の俸給などはばからしく思えるほどの収入がころがりこんでくる、思いがけない未来への展望が、ひらけていたのであろう。

角栄が柏崎から上京し、井上工業の小僧としてはたらいたのは、昭和九年三月末から九月頃までの半年弱である。

その後、保険評論の記者として半年ほど勤務し、退職。高砂商会に住み込み、三、四カ月で退職した。

受験勉強の内職にやった製図の仕事が、軍需景気の異常なブームを彼に知らせた。

機を見るに敏な角栄は、海軍士官への夢を捨て、実利を得る道を選んだのである。

蛟竜《こうりゅう》は池中《ちちゅう》のものならずというが、角栄は鋭敏な触覚を動かし、才能を伸ばせる方向へむかってゆく。

昭和十一年三月、角栄は中央工学校を卒業した。

角栄は専門学校か大学へ進学する志望を捨ててはいなかったが、さしあたって駒込千駄木町《こまごめせんだぎ》の中村勇吉建築事務所に、勤めるようになった。

中村事務所に勤めるようになったのは、内職で建築の製図や機械の基礎計算をやるうちに知りあった、みょうな因縁によると、角栄はのちに語っている。

だが、上級学校進学を志す者が、昼間の勤務をはじめるだろうか。中村は角栄とおなじ各種学校の卒業者で、口数のすくない温和な経営者であったという。

一階に中村夫妻が住み、二階の六畳と三畳の二間が事務室で、はじめは中村と角栄が二人で仕事をしていた。

軍需景気が日を追ってさかんになる時勢ではあったが、前途を鋭敏におしはかる角栄が、昼間の通学をやめてまで勤めるほど、魅力のあるはたらき場所とは思えない。だが、その理由が、やがて分かってくる。

角栄にすこし遅れて、名古屋高等工業学校を卒業した、谷口という青年が事務所に勤務するようになり、つづいて蔵前工業を卒業した岩倉、早稲田工手学校を卒業した西村の二人が雇われた。

貧寒とした中村事務所は、有能な人材を急速にふやしてゆく。

二階の六畳と三畳に机が四つ並べられ、製図板が乗って仕事をはじめると、足の踏み場もなくなった。床の間は図面、出願書類で埋まった。

やがて早稲田大学出の工学士が勤めるようになった。

その大物は午前十時過ぎにならないと事務所にあらわれない豪傑である。机に足をあげる行儀のわるい男で、部屋をゆるがすような大声で笑う。夕方になると、飲み屋の話ばかりしている。

その男は、下谷根岸に住むわが国の数奇屋《すきや》建築の大家として、業界に知らぬ者はいない木村清兵衛の次男、木村清四郎《きむらせいしろう》であった。

木村の建築設計の手腕は超一流といっていい。

中村事務所が、それまでの地味な営業方針を一変させ、急に人材を集めはじめたのは、理化学研究所（理研）に関係する仕事をはじめたためであった。

角栄は、中村事務所に勤めたのはまったく偶然であったと回顧している。が、このような事情をあらかじめ知っていたという推測もなりたつふしがある。

理研が新規に工場の設計を計画する心臓部分である、企画設計課に、中野義雄という同郷で遠縁の機械技師がいた。

昭和九年から十二年にかけて、大河内正敏子爵の主宰する理研は、発明開発した新技術を、工業生産に移すため多数の新会社を設立させ、続々とその数をふやしていた。第二次大戦を前に挙国一致体制が敷かれていた。

そして理研を中心にあらたに出現した諸企業が、支配統制される、コンツェルンという、資本独占の最高形態をとっていた。カルテル、トラストよりも集中度の高い財閥組織である。

理研発足の歴史はふるい。タカジアスターゼ、アドレナリンなどさまざまの科学発明の経歴を持つ高峰譲吉が、渋沢栄一、大隈重信の後援を得て、政府から今後十年間に二百万円を補助するという約束をとりつけた。

その計画は、大正五年三月の帝国議会に議案として提出可決された。初代所長は帝国学士院長、菊池大麓《だいろく》、大河内正敏は、物理学の泰斗《たいと》長岡半太郎とともに物理部の責任者となった。

五年後の大正十年、東京帝大工学部造兵科教授、貴族院議員となった大河内正敏が、四十三歳の若さで第三代理研所長に就任した。

大河内は、赤字財政で苦しむ理研を救うためには、「発明」に賭けるしかないことを知りながら、

「基礎科学の研究が主、発明は従」

といいつづけた。

だがまもなく理研鈴木研究室が、ビタミンAのタラ肝油からの分離に成功した。タラ肝油は、鼻をつまみようやく飲めるほどのなまぐさい油であったが、鈴木研究室ではビタミンAは、肝油の不鹸化物の一成分であることを研究一カ月でつきとめ、ただちに商品化に着手した。

所内では製造を薬品メーカーに依頼しようという意見もあったが、大河内は所内で製造する方針をおし通した。

三十六錠入り二円。九十錠入り五円という高価なカプセル入り「理研ビタミン」は、売りあげが年間百万円に達した。利益は五十万円である。

理研は、グルタミン酸ナトリウム、「オリザニン」(ビタミンB_1の商標名)、「理研酒」と呼ぶ合成酒などを世に出し、巨利を得て大発展をはじめた。

大河内のもとには量子力学の世界的な権威である仁科芳雄、ビタミン学で世界の最先端に立

つ鈴木梅太郎、ＫＳ磁石鋼を発明した本多光太郎、物理学の基礎研究の大家、長岡半太郎らがいた。

大河内が、新潟県柏崎に広大な土地を買い、ピストンリング製造工場を建設したのは、昭和七年であった。本来の狙いは、石油を節約するための、小型高速度ディーゼル機関の製造である。

大河内は毎週のように柏崎へ通ううち、素朴で勤勉な新潟人が気にいり、柏崎を第二の故郷のように愛するようになった。

その頃、理研とその関連会社は、日比谷交叉点角の美松ビルの五階と六階に本社を置いていた。

理研の企画設計課は、五階にあった。角栄は、たまたま内職の縁で知った中村勇吉建築事務所に勤めたというが、少数精鋭のスタッフをそろえていたという理研企画設計課の機械技師・中野義雄と、角栄はときどき会っていたらしい。それが勤める前からであったのか、後であるのか、語っていない。

角栄は中野から中村事務所が、今後理研の設計下請けで発展すると知らされ、中村勇吉に紹介されたとも考えられる。中村は角栄が中野の遠縁の青年で、設計技術もたしかであると聞かされれば、ためらわず彼を雇ったことであろう。

はじめて上京した大雪の日、谷中清水町の大河内邸をたずね、書生にしてもらうのを断念したときから、二年半の歳月が過ぎたいま、理研コンツェルンは大躍進の時期にさしかかっていた。

角栄は大河内正敏のもとへ近づき、自分を知ってもらう機会を求めていたのではないだろうか。

角栄は小石川原町の家具屋の二階に引越し、一歳年下の従弟《いとこ》の信雄と自炊生活をしていた。信雄は神田の錦城商業学校四年生であった。中村事務所は、歩いて十五分とかからない近所にある。

食事の支度は一日交替でやる。角栄は牛鍋が好きで、缶詰の鮭をいれてごった煮にする。

理研には、所長の大河内のほかに、世界的な名声のある科学者が幾人もいたが、所員が先生と呼ぶのは、大河内ただひとりであった。

朝の出勤時に大河内と会った所員は、彼の乗るエレベーターには乗らない。「先生」を畏敬《いけい》しているので、遠慮するのである。

ある朝午前十時を過ぎた頃、角栄は美松ビルの横の入り口から入って、エレベーターを待っていた。五階にいる中野義雄をたずねるためである。

エレベーターの前には、理研の社員も四、五人待っていた。角栄は急いでいたので、扉があくとふりむきもせずエレベーターに乗った。あとから、背の高い老紳士が乗り込んだ。

待っていた人たちは、ひとりも乗らない。

——あっ、先生だ——

と気づいたときは、エレベーターは上昇をはじめていた。

大河内を眼前にした角栄は、緊張して、エレベーターボーイに「五階」とどなるような声を出し、五階で大河内に黙礼して下りた。

一、二分のあいだ、立派な風采《ふうさい》の大河内をひそかに観察した角栄は、胸が熱くなるような感動をあじわった。

『私の履歴書』などに記されているこの出会いは、偶然におこったとは思えない。

大河内は理研傘下の会社のほとんどの取締役会長の地位についている。彼が毎朝十時頃に出社するのを知らない社員はいない。

理研社員四、五人が、大河内がきたので、エレベーターに同乗するのをはばかったとき、何事にも敏感な角栄だけが、それに気づかなかったはずはないと考えられる。

角栄は大河内に、尋常の手段では接近できないので、思いきった行動に出たのであろう。

運命の展開のチャンスは、手段をつくさず待っていては、めったに得られるものではない。

小猿と呼ばれていた少年の秀吉は織田信長に接近するために、その愛妻の生駒御前に気にいられるようにつとめた。

家康は、桶狭間合戦ののち、今川義元の弔い合戦をするといって、尾張、三河の国境にある織田方の小さい城を幾度か攻め、信長の注目を得たのち、織田家の武将であった母方の伯父、水野信元の斡旋《あっせん》で、永禄五年（一五六二年）信長と軍事同盟をむすび、三河統一の足場をかためた。

角栄は大河内とエレベーターに同乗したことを、誰にも話さなかったが、その夜、事務所に近い土佐料理店に中村事務所の後輩をともない、飲みかつ歌い、銚子六、七本をあけた。よほどうれしかったのである。

角栄は一週間ほどのち、美松ビルのエレベーターの前で、また偶然に大河内と出会った。こんどは同乗しないように、後ろへ寄った。

大河内は角栄に声をかけた。

「君も乗りたまえ」

角栄はびっくりした。彼を見覚えていたらしい先生は、笑顔を見せている。

角栄は五階で先に下りるのは失礼であると考え、六階まで先生を送り、五階へ戻ろうとした。

六階でエレベーターのドアがあき、大河内が外へ出たが、角栄はそのまま立っている。

大河内は静かな口調でいった。

「君もここではないのか」

角栄はおどろき、上気しながら答えた。

「私は五階です」

この日、大河内は角栄を自室に呼んだ。越後訛《なまり》のある青年に興味をもったのであろう。

角栄は上京以来の経緯を、問われるままに率直に話した。

大河内は眼鏡を光らせ、笑みをふくんで聞いていたが、角栄が語りおえるといった。

「柏崎は農村工業の発祥地で、私がいちばんすきなところだ。これから理研は、全国に工場をつくるが、君はいまでも理研に入りたいか」

角栄は、飛び立つような思いをおさえ、答えた。

「いまは理研の企画設計課の下請け仕事をしている、中村建築事務所ではたらいていますが、考えがまとまりしだい、ご指示をいただきに参ります」

大河内はうなずき、慈愛のこもった声でいった。

「勉強はしなさいよ」

角栄は、はじめて見た理研各社共通の会長室の光景を記憶にはっきりととどめた。

間仕切りのひとつもない大部屋の右手のまんなかに、素通しのガラスで仕切られた会長室があった。

会長室から社内のすべての様子が見え、社員の誰もが大河内の日常を観察できる、開放的な間取りである。

高名な科学者であるとともに、経営の最高指導者の大河内が、陣頭指揮の姿勢をとっていることに、角栄は感動した。

このときから、角栄の十余年に及ぶ理研との深い関係がはじまることになる。

まもなく建築事務所の経営者、中村が、突然応召することになった。事務所には木村、西村、岩倉など数人の設計技師がいた。

勤務経歴がいちばん古いのは角栄であったので、中村の留守をあずかることになったが、皆のうちでは学歴も低く、年齢も若いので、彼らを押さえてゆくのは、気苦労が多かった。若い男たちをまとめるため、本郷肴町や上野の飲み屋、喫茶店に、皆で出入りすることが多かった。

中村夫人は新潟県高岡の上流家庭の出身で、勝ち気な人であったが、夫の出征中に、事務所の若者たちが飲み歩くのを不謹慎と思うのであろう。機嫌がよくない。

しかし同僚が円滑に仕事の分業をつづけてゆくためには、飲み歩くことも必要だと、角栄は思っていた。

中村が応召して三カ月ほどたった頃、神戸の工業学校建築科を卒業した柚垣という男を採用した。

柚垣はきれいな図面を書く、器用で有望な男で、おとなしい。

将来有望な技師になるだろうと皆は思っていたが、夜になって酒が入ると、人が変わったように荒々しくなる。

「百両の馬にも、難があるからね」

角栄は大目に見ていたが、ある夜、柚垣は浅草吉原であばれ、泥酔して翌朝、溝に頭をつっこんで死んでしまった。

この事件があったので、中村夫人に叱責《しっせき》された角栄は一週間ほど欠勤したのち、事務所を辞職した。

角栄は中村建築事務所を辞職したのち、中央工学校在学の頃から内職として機械製図、機械基礎計算をやって、稼がせてもらっていた、深川の古鉄商の番頭であった椙山《すぎやま》という人を頼ることにした。

椙山は本所で日本特殊機械株式会社という会社を設立し、新工場、寮の新築、材料置き場の建設、重機械の備えつけを急いでいた。

角栄がたずねてゆくと、さっそく協力を頼まれ、目がまわるほど忙しい突貫工事の喧噪《けんそう》のうちに、日を送ることになった。

角栄は神田錦町三丁目の角にある五階建てのビルの一階に、自分の設計事務所をひらき、「共栄建築事務所」という看板を掲げた。

昭和十二年春、十九歳のときである。

角栄は開業当初、理研に足をむけず、大河内に会いに出向くこともしなかった。

もっと実力をつけてから大河内に会いたかったのか、あるいは軽々しく接近せず、自分の価値を高く認めてもらう機会を、待っていたのかも知れない。

角栄は、自分のはたらきに相応の報酬をうけとりたいという、野心がある。そのためには独立してはたらかねばならない。理研の社員になれば、会社のためにどれだけ儲けても、わが手に入るのは給料だけである。

仕事がゆきづまってきたら、理研の下請け仕事を頼みにゆけばいいと、彼は考えていた。

ある日の昼、美松ビル二階のすきやき屋に友人と二人ででかけた。牛肉を好む大河内が、その店へ昼食にでかけるのを知っていたためであろう。

案の定、そこで大河内と出会った。

理研コンツェルンの総帥が、角栄に声をかけたので、友人はびっくりした。

角栄は大河内に聞かれるままに近況を語った。

大河内は鋭敏に角栄の心中を察していった。

「理研の関係会社に籍を置かなくてもいいから、建設計画などについて勉強しなさい」

角栄はこおどりする思いであった。

大河内の庇護《ひご》をうけ、理研とその傘下の産業団各社との関係をつくることができるのである。

――さあ、これから日本特殊機械の仕事などはやっておられんぞ――

角栄は意気ごんだ。

理研コランダムの島田専務が、最初に水槽鉄塔の設計を発注してくれた。

ついでガーネット工場の設備設計。さらに荒川のるつぼ新工場計画である。

続々とふえてきた仕事の設計を手伝ってくれたのは、当時もっとも親友であった、警視庁衛生課技師の中西正光《なかにしまさみつ》であった。

中西正光は大阪の都島工業出身で、測量、原案の作成、設計、計算、仕様書の作成、工事業者の選定、工事監督までひとりでやりとげねばならない角栄の手伝いをしてくれる。

角栄はそれでも手がまわらなくなり、京橋の小さな土建業者のもとではたらいていた後藤という技術者に、設計の下請けを頼んだ。当時、一般建築の許認可、工場設置の許認可は、すべて警視庁が管轄していた。

角栄は警視庁三階の建築課、二階の工場課へ日参した。角栄の親友中西のいる衛生課にも立ち寄り、許可をうけることになる。

衛生課の技師は、中西ひとりである。

中西は明治四十五年生まれで、角栄より六歳年上であったが、月給は五十五円である。彼は諸建築物の衛生設備の検査認可をする権限を持っている。

角栄の狙いはあたった。理研の下請け工事はふえるいっぽうである。

理研関係の会社は、王子神谷町、荒川付近に多くあったが、さらに新工場が続々と建設されてゆく。

那須アルミ工場建設にあたり、大河内から直接に、鉄筋コンクリート製ロータリーキルンを設計せよとの、無理な注文をうけた。

角栄は夢中ではたらく。大河内の特命で、群馬県沼田の素封家が経営する、コランダムの小工場の買収を命ぜられた。

新潟県の小千谷、宮内、柿崎、白根、柏崎に、理研の大工場が集まっている。大河内は新潟県を、「農村工業論」の理想達成の基地とする計画を進めていた。

角栄は理研の用務で、しばしば新潟に出張するようになった。会社の仕事は、数人の友人に手伝ってもらっていたが、内職をする技術者である彼らが、昼間の勤務を終え、夜集まってくるまでに、設計に必要なメモをまとめ、理研各社をまわり注文の打ちあわせをすると、眠る時間もなくなることが、しばしばであった。

朝は五時、六時に起き、夜は十二時頃まで、協力者たちと図面を書き、強度計算して、工事入札の書類をととのえる。

「これは、忙しすぎて、日曜も祭日もないぞ」

中西たちは悲鳴をあげるが、仕事に見合うだけの収入があるので、誰も不平をいわない。角栄の月収は、五百円に達した。

早稲田大学を出た、工学士の木村清四郎の月給が、その頃ようやく百円になっていた。

角栄が中村事務所にとどまっていたら、月給は五十円どまりであったにちがいない。

るつぼ工場が、あらたに計画されたのは、十一月なかば頃であった。

るつぼ工場の計画書が完成したのは、十一月末で、十二月一日から設計をはじめた。月末までに入札を完了し、工事発注先をきめるよう突貫工事命令をうけた。十九歳の角栄が、工事の全責任をとることになった。

総事業費は約二十万円である。木造の工場が坪当たり六十円から七十円の建築費でできあがる時代で、大河内が後ろ盾になっていてくれなければ、角栄のような若者が手がけられる工事ではなかった。

徹夜をつづけ、十二月二十日の明けがたに設計図と仕様書を全部書きあげた。入札用に三、四十組の青写真をやきつけるため、赤坂溜池にあった大洋社という青写真屋に電話をかけおえると、全身の力が抜け、その場に寝ころんでしまった。口もきけないほどの疲労であった。

昭和十二年も終わろうとする十二月二十八日午前十一時、日比谷の美松ビル五階で、千六百円あまりの設計料の内払いをうけた。

二十日間、寝る間も惜しみはたらきつづけた努力の成果とはいえ、はたちまえの角栄が千円をはるかに超える小切手を、手にしたのである。

――これは俺の力ではねえでがん。先生の大きなご恩を忘れちゃいけねえ――

角栄は、自分にいい聞かせたという。

住友銀行日比谷支店振り出しの小切手であったので、すぐ窓口で現金に換えた。ちょうど正午すぎたばかりであったので、警視庁へ電話をかけ、中西を数寄屋橋と尾張町（いまの銀座四丁目）との中間にある、千疋屋《せんびきや》の二階へ呼び、設計製図料として百円を渡した。設計図一枚につき一円を支払う約束であったが、一枚あたり二円余りの計算になる。

中西は非常によろこんだ。

「これはすごいぜ。月給五十五円の一カ月分の特別ボーナスが、役所で今日支給されたが、そのうえにこんな大金をもらえるとはありがたい」

角栄は中西のよろこびにかがやく顔を見て、もうすこし出すべきだと思い、風呂敷《ふろしき》包みの札束のなかから、さらに百円をつかみだし、渡した。

「これは君にがんばってもらって、大仕事をしあげることができた、僕の心ばかりのお礼だ」

「ほんとうか。そんなにもらっていいのか。俺は大阪にいる母に何年も会っていないんだ。この金を持って、これからすぐ大阪へいって会ってくるよ」

日頃、すべてに控えめな中西であったが、よろこびを隠さず、いきおいよく立ちあがり東京駅へ急いだ。角栄はいい気分で千疋屋を出たが、途中で金をいれた風呂敷包みを忘れたことに気づき、あわてて戻ると、顔見知りのボーイが預かってくれていた。

角栄がはじめて鼻下にひげをたくわえたのは、共栄建築事務所の主人となって間もない頃であった。

神田錦町のアパートで徹夜で図面を書くうち、無精ひげを伸ばすようになった。

自分で鏡を見ながら、ひげらしいものをたくわえると、かなり見ごたえのあるものになった。

それでりっぱなひげをたくわえようと決めた。そうするほうが、工事現場へ出向くとき、鳶、作業員らの荒くれ男に睨《にら》みがきくと、自分で思いこんだ。

盛夏の頃であった。

新潟の分家の主人が上京してきた。はじめて東京へ出るので、上野まで迎えにきてほしいと頼まれていたので、白絣《しろがすり》の単衣《ひとえ》に、剣道袴《けんどうばかま》をはいていった。

改札口のそばで待っていると、分家のおやじさんは角栄のまえを黙って通りすぎてゆく。

「オイ、オイ」

と大声をかけると、ふりむいたがそのまま行きすぎようとする。

「オイ、僕だよ」

と歩み寄って、はじめて角栄と気づいた。

二田村の田中家の隣に住んでいる、叔母の亭主が、まったく角栄を見分けられないのがふしぎであった。

分家の主人はいった。

「まさか東京へ出て二年や三年で、ひげを立てられるほどの大物になるとは、思わなかったろも、ほんとに立派になったなあ」

角栄は大学を出て、数年も勤めたサラリーマンの、十倍を超える月収を得ていたので、年齢のわりに、世馴《よな》れたふるまいが身についていた。

昭和十三年春、角栄は新潟県柏崎でおこなわれた徴兵検査で、甲種合格となった。

徴兵制によって、二十歳になった男子は徴兵検査を受ける。健康で体に異常のない者は甲種合格。体格にいくらか難点のある者は、第一乙種などいくつかの段階に分けられる。また特技により、歩兵、砲兵、通信兵、戦車兵に組みいれられた。

角栄は幼時から馬に乗り慣れていたので、騎兵科に配属されることになった。入隊通知のくる日まで半年ほどのあいだ、東京ではたらいていた。

大河内に入隊を報告すると、しばらく考えていたが、「とにかく配属先を私のところへ、いつも通知してくるようにし給《たま》え」といった。

昭和十二年七月七日におこった日中戦争は拡大するばかりで、理研各社の社員のうちからも、応召者があいついでいた。

軍隊へ

角栄はその頃、駒込三丁目のアパートに住んでおり、忙しい彼の身のまわりの世話をしてくれる愛人と同居していた。

昭和十三年末、角栄は盛岡騎兵第三旅団第二十四連隊第一中隊に、現役兵として入隊するよう通知をうけた。

アパートの荷物をいなかへ送るため、すぐ上の姉フジエが上京した。フジエは角栄の部屋に女性がいるのを見て、おどろいたようであったが、なにもいわない。角栄も事情を語らず、黙っていた。

フジエはその晩から、角栄と愛人のあいだにはさまって、自分の布団を敷いて寝た。角栄はいなかへ引き揚げるまで、愛人と外で会うしかなかった。

フジエは女性とともに、荷物をまとめている。

東京を引き揚げる朝、外出先から戻ってみると、荷物はすべて上野駅へ送ったのであろう、部屋のなかはがらんとしていた。

愛人の姿も見えなかった。

フジエはいった。

「お前が入隊するまえに、身ぎれいにしとかなきゃならねえから、荷物を全部半分ずつにわけて渡したんだ」

角栄は、愛人がひとり暮らしをするようになっても、当分生活に不自由しないほどの金を持たせていた。

盛岡騎兵第三旅団は、在満勤務であるので、角栄たち新兵は昭和十四年三月末に広島に集合し、宇品《うじな》で貨物船に乗船、瀬戸内海から関門海峡を通過し、日本海を北上して北朝鮮の羅津《らしん》港へむかった。

貨物船は波浪に揺られ、船酔いする者が多かった。かいこ棚のような狭い場所に詰めこまれているので、窮屈である。

だが現役兵はそんな状況を苦にすることもなく、甲板に出て、体操、相撲で体力をやしない、早春の船旅を楽しんだ。

騎兵第三旅団本部は、三江省（現黒龍江省）宝清《パオチン》にある。角栄の入隊する第二十四連隊は富錦に駐屯していた。

羅津から汽車で図們《トウーメン》という満鮮国境の駅を過ぎ、佳木斯《チャムス》駅で下車し、そこからトラックで富錦にむかう。

満州の野を吹き過ぎる風は、厳冬のように身を切るきびしさであった。富錦は、昭和十三年七月末、日本軍とソ連軍が紛争をおこした張鼓峰事件で、日本側戦死者千四百四十人を出す激戦がおこなわれた国境地帯にあったので、将兵は緊張していた。

松花江（ソンホワ川）の河畔にある富錦の兵舎におちついてみると、軍歌「戦友」の一節が頭に浮かんだ。

〽ここは御国を何百里
離れて遠き満州の
赤い夕日に照らされて
友は野末《のずえ》の石の下

角栄は、たいへんなところにきてしまったと思った。生きて日本に帰れないかも知れないという実感が、胸を締めつける。

「なんとかなるさ」

角栄は思いなおして、低い声で浪曲「天保水滸伝」を口ずさむ。

旅団長は騎兵少将である。

連隊長、中隊長、小隊長、班長の下に古兵がはばをきかせており、初年兵の角栄たちから見れば、旅団長は雲のうえの人である。

しかし、東京にいるとき、角栄は旅団長よりもはるかに多い月収を得ていた。

——こんなところでこき使われたあげく、死ぬなんてばかくせえことができるか——

角栄は不敵な表情をとりもどした。泥で外壁を塗った民家が、兵舎にあてられた。

その夜、私物検査がおこなわれた。食卓のうえに、私物をすべて並べろといわれ、その通りにした。

現金はすぐ貯金させられる。

角栄は家を出るとき、二百円ほど持っていたが、大阪、広島で遊び、輸送船のなかで知りあった兵隊たちに大盤ぶるまいをしてやったので、財布はからである。

班長の軍曹が角栄の前に立つと、突然たずねた。

「もうこのほかに、何かないか」

もしあれば、鉄拳をくらうと角栄は察した。班長はからの財布からアメリカの女優ディアナ・ダービンの写真をとりだし、角栄を睨みつけて聞く。

「これは誰だ」

「自分の好きなタイプの女であります」

「なぜこんな写真を持ってきたんだ」

角栄は返事に詰まったが、頭に浮かんだまま答えた。

「こんな女を、将来自分のワイフにしたいと考えております」

班長はその返事を聞くなり、角栄の頬《ほお》を拳骨《げんこつ》で力まかせに張りとばした。

からの財布にアメリカ女優のブロマイドだけを入れておき、それを女房にしたい理想の女性といったのでは、帝国陸軍下士官を怒らせずにはすまなかった。

なんということをしやがる、と角栄の反抗心が頭をもたげた。

富錦の兵舎で一夜を明かした翌日の昼過ぎ、角栄は班の建物の入り口でしゃがみこみ、靴の泥を落としていた。

騎兵ではあるが、新兵は長靴《ちょうか》をはくことができず、革の短靴である。角栄が泥濘《でいねい》にまみれた靴を、念入りに拭いていると、頭上から誰かに声をかけられた。

立ちあがったとたん、眼から火が出るほど右頬を殴りつけられた。

「何をするんだ」

角栄が喚《わめ》くと、前に立った肩章のない古兵が、間髪をいれず左頬に鉄拳を見舞った。避ける間もない稲妻のような早さで、たてつづけに三発ほど殴られたあとで、古兵に理由を教えられた。

「貴様は営内靴をはいて、営庭に出た。上官である俺に敬礼をしなかった。鳩舎のそばは禁煙であるにもかかわらず、くわえ煙草《たばこ》でいた。以後、気をつけろっ」

角栄は古兵のいう通り、営内規則に違反していた。いわれてみればもっともであるが、いきなり頬の内側が切れるほど、殴りつけるとは乱暴きわまりない。

——これは、たいへんなところにきてしまったぞ——

角栄は、兵営の内務班生活で新兵が味わう、おそろしい制裁をはじめて知った。

夜、就寝まえに消灯ラッパが鳴りわたる。その節にあわせて、新兵たちが小声でうたう歌がある。

〽新兵さんはかわいのよー
　また寝て泣くのかよー

角栄は入隊した直後、班長に詳細な身上調査を提出させられた。

そのなかに、特技を書きこむ欄がある。角栄はついうっかりと、乗馬と書きこみ、しまったと思ったが、気づくのがおそかった。

騎兵連隊に入隊した新兵が、乗馬が得意であると書けば、たっぷりとかわいがられることになるのは、当然である。

騎兵第三旅団は、岩手、青森、秋田、山形、宮城、福島、新潟の出身者で編成されている。このうち馬の産地として名高いのは岩手と秋田であった。新潟産の馬は、あまり多くない。

新潟出身の角栄が、乗馬が得意と申告したので、さっそく古兵たちの目の敵にされた。

新兵は古兵たちから罵《のの》しられつつ、乗馬をあてがわれる。

「貴様らは、一銭五厘の葉書《はがき》でいくらでも補充がきくが、馬は数がかぎられておるから、死なせるわけにはいかん。自分の主人だと思って世話をしろ」

騎兵の運命は、乗馬しだいできまる。

角栄にあてがわれたのは、久秀号という十五、六歳の年とった癖馬《くせうま》であった。

角栄は富錦に着いて数日後、生まれてはじめて馬に乗った新兵たちとともに練兵場に使っていた野原へ出た。

四方を見ても、さえぎるもののない一望千里の荒野である。丸太を六、七本、横にならべた障碍《しょうがい》の前にきたとき、引率の軍曹が突然どなった。

「田中っ、これを飛んでみろっ」

角栄にとって、そんな障碍は物の数ではない。

軽く飛び越えようとすると、久秀号が不意に横にそれて逃げた。体勢をとりなおす間もなく、角栄は落馬し、手綱を放してしまった。

軍曹は喚いた。

「戦闘中に馬を放すのは、死ぬことだ。鞍《くら》を背負って、駆け足で乗馬隊のあとを追え」

佐木隆三著『越山　田中角栄』によれば、同年兵の今井光隆の馬も、政滝号という十五、六歳の年をくった馬だった。久秀号に劣らない癖馬である。

不運な二人の新兵は、乗り手を振りおとすのが得意の老馬のおかげで、軍刀や竹刀で絶え間なく頭をはたかれる失策をかさね、兵舎裏の陽溜まりで、涙をこぼし不運をかこちあった。

「俺たちは馬に運がないんだなあ」

角栄は甲種合格であったが、東京暮らしをつづけるうちに、体力がなくなっていた。

馬糧庫から厩舎《きゅうしゃ》まで飼料の袋を担ぐのが、苦しくてならない。三百メートルほどの距離であるが、高梁《カオリャン》、大豆の入った、六十キロから百キロの袋を担ぐと、足がよろめく。

「今井、頼む」

角栄が拝むまねをすると、農家出身の今井は、気軽に運んでくれた。

今井が風邪をひき、高熱で苦しんだとき、角栄は夜おそくまで頭を冷やしてやり、不寝番が見咎めると、いいかえした。

「なにが悪いっていうのか」

昭和十四年四月に入営し、三カ月後に一期検閲がおこなわれた。

初年兵の教育訓練を、連隊長が検閲するもので、兵隊としての基礎実習を終え、実戦部隊に配属される資格を得たことになる。

一期検閲は、普通兵科で四カ月間、騎兵で五カ月間の訓練ののちにおこなわれることになっていたが、昭和十四年五月十二日におこったノモンハン事件の影響で、速成教育となった。

一期検閲の成果によって、初年兵の序列がきまる。第一中隊の初年兵六十人のうち、幹部候補生、下士官候補生は数人で、上等兵候補は十五、六人。残りの四十人ほどは、戦場で抜群の功績をたてないかぎり、軍隊では昇進できない。角栄は上等兵候補者であった。

一期検閲の日の朝、角栄のもとに電報がとどいた。彼が入隊するとき、肺結核で病床についていた、すぐ下の妹ユキエの死の知らせであった。

角栄は電報をポケットに納め、検閲にのぞんだが、眼頭に涙がにじんでくるのをとめられない。

班長の塩野目軍曹が、近寄ってきた。

「なんだ、貴様。泣いてるのか」

角栄が電報を見せ、事情を告げると、軍曹は同情してくれた。

「そうだったのか。辛いだろうが、我慢しろ」

角栄は一期検閲では学科成績がよく、達筆であるのが評価されたが、体質が強健でないとされたため、保護兵扱いになった。

保護兵になると、バター、ミルクの配給があり、食事内容もちがってくる。

衛兵のような一昼夜勤務も免除、野外訓練に出る回数も減る。

中隊事務室勤務となった角栄は、酒保《しゅほ》(売店)、糧秣《りょうまつ》係、支那事変第三次功績《こうせき》係などをつとめ、実戦とは直接の関係がなくなった。

だが、地獄のような内務班生活はつづいていた。一週間のうち二晩か三晩は、かならずヤキを入れられた。

夕食後はすることもない古参兵たちが、新兵を消灯後の班内で鉄製寝台のまえに立たせ、一人ずつヤキを入れる。

銃や軍刀の手入れが悪いなどと難癖をつけ、革のスリッパで両頰を殴りつける。二、三日喉が腫《は》れて飯が食えないこともあった。

ある晩、角栄は銃、軍刀、靴はもとより、手箱のなかの縫い針までそろえておいたが、予感の通り所持品検査があった。

——どんなに調べたって、アラは出るわけねえ。いくらでもやってみろ——

角栄は胸を張り、平然としていたが、いきなり強烈な拳骨を二、三発見舞われた。

「いったい、どこが悪いのでありますか」

抗議すると、

「その態度が悪いんだ」

もう一発、余分に殴られた。

角栄のいた騎兵第三旅団は、実戦に参加していなかったので、ヤキの入れかたもその程度で済んだが、華北最前線の実戦部隊に補充要員として配属された新兵たちは、すさまじい扱いをうけたようである。

筆者が和歌山の家にいた頃、隣にパン屋さんがあった。その主人とあるとき話しあう機会があり、彼が和歌山歩兵第六十一連隊に新兵として入隊したときの思い出を、聞かせてもらった。

新兵教育は上海でうけたが、教育係の古兵たちは、第一線から戻ったばかりで、血走った眼が異様にすわっていた。

日頃寡黙《かもく》なパン屋の主人が私に突然語りはじめた。主人は、角栄とおなじ年頃であった。新兵の彼は上海で訓練をうけているとき、木銃《もくじゅう》を担いで走らされた。四列縦隊で走っているると、石につまずいてうつぶせに転び、そのとき木銃を手からはなした。教育係は鬼のような顔つきになり、拳をかため、彼の頬を張りとばす。毬《まり》のように転がった彼は、胸ぐらをとられ引きずりおこされ、雨のように鉄拳をくらった。

「木銃ちゅうても陛下の武器や。それを手放しくさったか、ちゅうてむちゃくちゃに殴るんよ。四十発ぐらい殴られたか、歯が十何本折れてのう。奥歯ら砂みたいにジャリジャリになったよ」

私はおどろいていった。

「そら、えげつないことしよったんやなあ。それで歯医者へいったんかい」

パン屋の主人は、顔のまえで手を振った。

「歯医者らへ、いかひてくれるかよ。顔は腫れあがるし、味噌汁も飲めん。飯は素呑《すの》みや。ひと月ほどのあいだに、ようやく癒《なお》ったよ」

義歯を入れたのは、一年後であるという。

主人はいった。

「それでも、歯ぁ飛ばされたぐらいやったら、まだよかったんよ。細い木がひょろひょろ生えてる荒野を汽車で運ばれてのう。前線へ着いたんよ。

その晩に敵襲があったんや。新兵のうちから三人、お前とお前とお前と、こいちゅうて呼び出されて、銃担いで出ていったけど、明くる日の朝に、三人とも血だらけの布団に包まれて、遺体で帰ってきたんよ」

「戦死したんかい」

「そうや、新兵かて一応の戦闘要領は教《お》せられてる。立木や岩、地隙《ちげき》のようなものを利用して各個前進《かっこぜんしん》するやりかたも教せられてる。そやけど、意地のわるい古兵に見られてるさかい、どうひても無理するんよ。凹《へこ》んだところから両手だけ出ひて鉄砲撃ったほうが危のうないと思ても、頭出ひて標準定めて撃とうとする。実戦の要領分からんさけ、敵の目標にされてしまうんよ。古兵はそれを知ってて、わざと三人を連れていて死なひたんや。

なんでそげなことひたかちゅうたら、新兵全員の気持ちをひきしめさせるためやというが、ほんまにむごいことするれえ。

内地へ帰還ひたら、ふつうのおっさんやろけど、戦地へ出たら血も涙もないことをやりくさった」

死線をくぐってきたパン屋の主人の経験にくらべると、角栄の内務班体験は、まだ幸運なほうであったといえよう。

角栄のいる富錦の兵営では、毎日夕方になると全員集合して点呼をとったのち、週番士官が訓示をする。

そのあとで事務室に寄ると、当日に内地から届いた手紙が、週番下士官から渡される。点呼のとき、角栄の名が呼ばれ、事務室へ出向くと、週番の曹長から封書を渡された。すでに開封され、内容の検査はすんでいる。

角栄が封書を手に戻ろうとすると、曹長に呼びとめられた。

「おい待て、その手紙をここで読んでみろ」

角栄はなにげなく読みはじめて、言葉につまった。東京で同棲《どうせい》していた愛人からの手紙である。曹長が角栄の手から便箋《びんせん》をとりあげた。

「よこせ、俺が読んでやる」

あなたの好きなフリージアの甘いかおりが流れて参ります、という書きだしの手紙を事務室で読まれた角栄は、全身から汗が噴きだした。

角栄のところには、女性から頻繁に手紙がきたので、古兵たちに憎まれた。よってたかって読みあげさせられるうち、角栄は手紙を食ってしまったこともあると、『越山　田中角栄』にしるされている。

手紙だけではなく、慰問袋もたくさんきたという。ヨーカン、テヌグイ、ハミガキ粉、フンドシ。それを初年兵に気前よく分けた。角栄あてに、千人針もきた。

千人針には、かならず金が縫いこまれていて、縫いめをほどくと、十円札がぽろぽろっと落ちたそうである。

意地がつよく、こまかい欠点を見つけだしては鉄拳制裁を加える古兵たちには、無駄な弁解をせず、殴られっぱなしであったと角栄はいうが、連隊では保護兵として本部で酒保係、糧秣係となり、いつのまにか優遇される場所にいた。

角栄はどんな立場にいても、巧みに立ちまわり、他人よりも有利な位置につこうと、たゆまぬ努力をする性格である。

連隊では兵隊の運命を直接に左右する権限を持つ、軍曹、曹長などの下士官の気にいられたのではないのだろうか。

人は利によって動くことをよく知っている角栄である。軍隊内部で有力な保護者をつくるぐらいの細工は、たやすくできたとみてもふしぎではない。

昭和十四年八月、騎兵第二十四連隊は、富錦南方二百キロの平陽鎮に移動した。ノモンハンの戦闘が激化して対ソ開戦になれば、他の大部隊と合同して、ウラジオストックを攻撃するのである。

北満の秋はみじかい。朝夕は厳冬のように地面がいてついてしまう。

冬になって、角栄は国境間近の金剛台守備隊に勤務した。そこでも兵隊に物品を売る酒保をひとりで切りまわしていた。

角栄が連隊本部の糧秣係をしていたとき、連隊長が視察にきた。

ところが本部前に大きなトラックが停車しており、道をふさいでいて通行できない。あいにく運転手が外出していて、士官たちが騒いでいた。角栄が申し出た。

「私は東京にいるとき、自動車の運転をすこし習ったことがあります。うまくやれるかどうか分かりませんが、やってみます」

士官たちはよろこんだ。

「よし、やってみろ。通用門のところまで後退させればいいんだ」

角栄は大型の軍用トラックの運転席に乗り、スイッチを入れ、しずかにクラッチを踏みチェンジレバーを握った。

なんとかなるだろうと用心しつつギアをバックに入れ、アクセルをわずかに踏むと、トラックの巨体がゆるやかに後退してゆく。

しめた、と思い、サイドミラーを見つつ、まっすぐ後退させる。通用門の手前で停止させようとブレーキを踏むのをまちがえ、アクセルを踏んだので、厚い門扉を車体で突きやぶった。

あわててサイドブレーキを引き、停車させたが、処罰はうけなかった。

「悪気でやったのじゃないから、しかたがないよ」

士官たちは、角栄に笑顔を見せた。

曲がりなりにも軍用トラックを運転した酒保係は、連隊長に顔を見覚えられた。当時の軍隊では、自動車班の兵隊のほかに、運転できる者はめずらしかった。

そのあと、突然連隊長の検査があった。

酒保係の角栄は、酒保の内部を整頓《せいとん》し、帳簿、伝票を完璧にととのえていたので、おちついて検査をうけた。

指摘をうけることは何もなく、無事に終わろうとしたとき、角栄の手抜かりが発覚した。

外からは見えないが、出入り口の扉の内側に、角栄は「希望の朝《あした》、法悦《ほうえつ》の夕《ゆうべ》」という、自分の好きな文字を書きつけた紙を貼《は》りつけておいた。

それを連隊長は目ざとく見つけた。

つき従っていた中隊長の顔が赤くなった。

連隊長は、黙ってしばらくその字を見つめていたが、咎めることなく酒保を出ていった。角栄が、ほんとうにその紙をはがし忘れたのか、わざと残しておき、連隊長の脳裡に酒保係の印象をとどめたかったのかは、誰にも分からないことであった。

連隊長視察のあと、旅団長巡視がおこなわれるので、角栄は連隊本部から中隊に帰った。

班の寝台の前に整列した兵隊の前を、連隊長、中隊長が先導して、旅団長が通りながら、ときどき質問をする。

なにかを問われた兵隊は、緊張して叫ぶように返答をする。

「気をつけっ、頭《かしら》ぁ右っ。なおれ」

各班の班長のかける号令が、静まりかえった兵舎の遠方からくりかえし聞こえ、しだいに近づいてくる。

角栄の班に、長靴の足音をひびかせ、旅団長があらわれた。

「気をつけっ、頭ぁ右っ」

塩野目軍曹が、気合のこもった号令をかける。

角栄たちは不動の姿勢で、視線を旅団長の顔にむけ、動きにつれわずかずつ左方へ動かしてゆく。

旅団長はなぜか角栄のまえにきたとき、命じた。

「手箱をあけよ」

角栄は手箱をあけた。

中隊長と班長の表情がひきしまっていた。

巡視は前もって知らされていて、兵隊たちは手箱を整理しているので心配はなかったが、連隊本部勤務から呼び寄せられた角栄の手箱は、留守中のままである。

手箱のなかには、入隊後も勉強していた、早稲田大学の建築専門講義録がはいっていた。

いつ出動を命ぜられ、戦死するかも知れない兵隊が、専門書を読んでおれば、どんな制裁をうけるかも知れない。

だが旅団長は講義録をひらいてみて、「ほう」と低い声をもらしただけで、叱ろうとはせず、おだやかに通り過ぎていった。

角栄は、中隊長から叱られるのを覚悟していたが、何事もなく、その後、連隊本部から監視哨、皇居遥拝所、銃座などの設計を命じられただけであったという。

『私の履歴書』などによる回顧談にはこう記されているが、これは偶然の出来事とは思えない。角栄が建築設計の技術を身につけていることを、班長か中隊長かが、まえもって旅団長に告げていたと考えられる。

角栄は気ばたらきのいい、有能な兵隊として、旅団幹部に名を覚えられるようになっていたのであろう。

寒気がきびしくなると、軍馬が疝痛《せんつう》にかかり、つぎつぎと死んでいった。疝痛とは便秘である。餌《えさ》を満腹するまで食い、大量に水を飲めばよいが、井戸が凍っていて水を汲《く》めないので、雪を融《と》かして飲まさなければならない。

久秀号も病気になり、角栄は徹夜の介抱をすることがしばしばであった。

ノモンハン事件は、昭和十四年九月十五日にモスクワで東郷茂徳駐ソ大使とモロトフ外相とのあいだで停戦協定がむすばれた。

平陽鎮に移動していた騎兵第二十四連隊も原駐屯地の富錦に戻った。気温が零下三十度の極寒の季節がようやく過ぎた、翌昭和十五年四月、角栄の親友の今井が、新編成の騎兵第七十二連隊に転属になった。

騎兵というが自動車部隊で、南方にむかうことになっていた。

「あったかい土地へいけるのか。うらやましいなあ。俺もいきてえよ」

角栄は勤務のあいまに、酒保で今井と別離を惜しんだ。

「おたがい、生きて内地へ帰ろうぜ。大陸の土になるような、つまらないことにはなりたくねえからな」

角栄は今井が去ったあと、富錦で二度めの冬を迎えた。

昭和十五年十一月末、営内酒保勤務の角栄は、刺すような寒気のはりつめた早朝の営庭で、高熱のため倒れた。

担架《たんか》でアンペラというテント張りの野戦病院へ運びこまれる。クルップス肺炎と診断され、その日のうちに近所の半截河《パンチエホー》陸軍病院へ入院した。

一日か二日の入院であろうと思っていた角栄は、診察の結果、右乾性胸膜炎を併発していることがわかり、その病院にも数日いただけで、旅団本部のある宝清《パオチン》陸軍病院へ転送された。

宝清の病院はゆきとどいており、兵隊にはもったいない居心地のよさである。

「ここでひと月ほど入院したら、原隊復帰になるべさ」

だが、角栄の予想はうらぎられた。

一カ月ほどたって、佳木斯《チャムス》の病院に転送された。それから延吉《イエンチー》、公主嶺《コンチユーリン》、利樹屯《リーシユートン》と各地の陸軍病院を転々として、ついに大連港から内地へ送還されることになった。

北満の雪雲に覆われた天地とちがい、眩しい春の陽光に満ちた大連港から、大阪へむかう汽船に乗ったとき、角栄は思わず涙をこぼした。

内地に生還できないだろうと覚悟していた角栄は、昭和十六年二月、二年間を過ごした大陸を離れた。

角栄は早春の瀬戸内海の絵のような眺望を楽しみつつ、船旅をかさね大阪天保山の桟橋に汽船が到着したときの、身内にふくれあがってくるよろこびを、いつまでも覚えていた。

大阪では天王寺の日赤病院に運ばれ、一カ月近く療養した。

大阪に帰りついて、角栄の病状は急速に快方にむかった。

三月末になって姉から手紙がとどいた。角栄の下から二番めの妹トシエは、結核で病床についていたが、病状がきわめて悪化してきたという。

角栄は北満にいるあいだに、すぐ下の妹ユキエを結核で失っていたので、トシエもそのあとを追うのではないかと気になり、外出許可をもらい、北陸本線まわり青森ゆきの急行で二田村へむかった。

大阪では桜が咲く季節であったが、金沢あたりから吹雪になった。

角栄は二年ぶりでわが家に戻ると、神棚、仏壇に参るよりさきに、妹の病室の襖《ふすま》をあけた。

角栄の姿を見たトシエは、幾日も粥《かゆ》さえ口にしなかったというおとろえた体で、布団からはね起き、角栄の胸にしがみつく。

重体のトシエにこんな力が残っていたのかと、おどろくほどであったが、やせ衰えた彼女は、たちまちくずれるように膝《ひざ》をつく。

「さあ、静かに寝てろ。すぐよくなるさ。兄も胸をやられて、大阪へ後送されてきたでソ。いっしょに養生しよう」

トシエの息づかいは荒かった。

角栄はトシエを寝かせ、枕もとを見ると、薬瓶のそばに、西条八十《やそ》の詩集が一冊置かれていた。角栄は詩の一節を思いだした。

われにやさしき
兄あらば読書に暮るる
雨の午後あつき紅茶を
われくみてきみがみへやに
はこぶべし

父角次の商売に追風《おいて》が吹いてきて、わが家の暮らしむきは、二年のあいだに目に見えてよくなっていた。だがトシエの余命は、おそらくあとわずかだ。

角栄は号泣したい気持ちをおさえ、自宅に一泊して、吹雪のなか、大阪日赤病院へ帰った。

列車のなかでトシエの延命を祈りつづけた。

——トシエを一日でも長く、この世に置いてやって下さい。あの子はなんのしあわせも味わっていないのです——

角栄は、入院患者の兵隊が着る白衣に、外套《がいとう》をかさねただけで、新潟まで出向いた無理がたたったのか、病院に帰った夜から、高熱が出てうなされるようになった。

四月一日の夜、大阪から関東、東北方面へ患者を転送する特別列車に、角栄も乗せられた。

大陸から患者が続々と送られてきて新規収容の余裕がなくなったためである。

七百数十名の患者を乗せた、大輸送列車に乗りこむまで、大阪駅ではなんとか立っていたが、車内の床に寝ると、熱はあがるばかりであった。

角栄は列車輸送の途中、京都、米原、名古屋でビタカン注射を一本ずつ打たれた。

まどろむうち、明けがたの窓から富士山が見えた。列車は上野駅まで乗りいれた。

角栄は担架に乗せられたまま、上野駅のコンクリートの床に、半日ほど置かれていた。

下谷《したや》御徒町《おかちまち》の国防婦人会の主婦たちが、接待にあたってくれた。

軍医が角栄に伝えた。

「東京陸軍病院の大蔵分院に入れてもよいが」

角栄は高熱のなかで、ことわった。

「どうせ死ぬのなら、仙台のほうが家にも近い。仙台を希望します」

あとで考えると、新潟は仙台より東京に近かった。何事にも便利な東京をことわり、なぜ仙台をえらんだのか、角栄自身にも分からなかった、と『私の履歴書』などには記されている。

夜十一時四十分、上野発小牛田《こごた》行き普通列車で仙台にむかった。

翌朝、仙台駅へ迎えにきていたのは、霊柩車《れいきゅうしゃ》のような形の自動車である。縁起がわるいと思いつつ担架に寝たまま車に積みこまれ、仙台陸軍病院宮城野原分院へ送られた。

昭和十六年四月六日であったが、その年の雪融けは遅かったということで、宮城野原一帯はまっしろな残雪で覆われていた。

輸送責任士官たちは、角栄の担架を雪のうえに放りだしたまま、ながいあいだ報告をつづけている。

仙台の空は碧瑠璃《へきるり》に澄みわたり、あたたかい陽光が満ちている。

長い引継ぎ手続きが終わり、角栄はようやく病室へ運ばれた。角栄は重病人専用の個室に入れられ、身内がつめたくなる思いであった。隣室は空室のようである。

——俺はそれほど重病か。もう恢復《かいふく》の見込みはないのか——

彼は、高熱にさいなまれてはいるが、とても死ぬとは思えない。

陸軍病院では、軽症患者は大部屋に収容される。重病になると、五、六人用の部屋に移され、さらに重篤《じゅうとく》になると、二人部屋に入る。

なお悪化してくると個室へ、いよいよ危篤になると、隣室を空部屋にする。そうするのは、患者が死ぬ際の呻《うめ》き、医師、看護婦の駆けまわる騒音を、他の重症患者に聞かさないようにする配慮であった。

——俺はやっぱり危篤患者だ。これは大変だぞ——

軍隊では、患者が危篤状態になれば、「ヤマイ　オモシ」と実家に電報をうつ。その患者を一報患者と呼ぶ。角栄は、自分が一報患者になったと知り、身内の震えをしばらくとめられなかった。

死の直前には「キトク」の二報をうつ。このときはすでに死んでいるのがふつうである。死が確認されたのち「シス」の三報がうたれるのである。

電報の「一報」と「二報」のあいだで、一階級進級が発令されることになっていた。

熱は体温計の目盛りの頂点である、四十一度を示したまま、さがらなかった。

その夜、妹トシエの死亡を知らせる電報が、角栄の病床にとどけられた。

今朝、宮城野原分院の庭で、担架のうえから、春陽のかがやきに満ちた青空を見あげていた時刻、数え年十九歳のトシエの魂が空のどこかへいってしまったのだと気づいた角栄は、胸をひきしぼられるような別離のかなしみに、涙をおさえられなかった。

「トシエ、アニもすぐあとを追っていくから、さびしくねえぞ」

角栄はトシエの幻に語りかけた。

それから二週間ほど、危篤状態がつづいた。そのあいだに、東北大医学部から医師がきて診察をした。軍医が衛生兵を連れてきて、角栄の財布のなかの金をかぞえ、紙幣の番号を記録させる。最後に時計の番号を記録させ「食べたいものは、なんでも食べていいぞ」と、一言いい残して病室を出ていった。

軍隊の規則に従っての行為であるといえばそれまでであるが、軍医たちが眼前でおこなったことは、病人に生きながらえる気力を失わせ、死に追いやる思いやりのない動作であった。

——あと十日の命だこて——

角栄は死の淵にのぞむ、自分の運命を、冷静に考えた。人はすべていつかは死ぬ。俺の人生も、トシエと同様に短かっただけだと、角栄はあきらめた。

毎晩、各病室に不寝番の看護婦が巡回してきて、患者の容体をたしかめる。重患の個室を見まわりにくるときは、静かにドアをあけ、懐中電灯《でんとう》の光を患者にむける。

息絶えているかも知れない、重患の様子をたしかめるためである。ある晩、明けがた近い頃、角栄の顔に光があたった。

角栄はめざめていて、大きく眼を見ひらき、宙を見つめていた。それを見た看護婦がおおきな悲鳴をあげたので、角栄もおどろかされた。

角栄は死ななかった。

それから二、三週間後に、角栄の病状は確実に快方へむかっていった。

——トシエが俺を助けてくれたんだ。俺の宿業《しゅくごう》を、背負っていってくれたぞね——

角栄は手をあわせ、トシエの幻を拝んだ。

健康が恢復すると、天気のいい日は白衣のまま病院の芝生に横たわり、見舞いにきた小学生たちと歌をうたった。

病室では暇のあるとき、専門書の勉強をはじめた。

陸軍病院では、軽症の兵隊や、病気が治った兵隊は、雑役を命じられる。

病室の掃除をする者、飯運び、皿洗い。

病兵はすべて白衣の胸に階級章をつけているが、角栄は重病人として入院するときから階級章をつけていなかった。

それで、はじめは将校と思われていたようで、ていねいな待遇をうけ、使役、雑役は一度も命じられなかった。初年兵の一期検閲のあとは、糧秣《りょうまつ》、功績《こうせき》、酒保《しゅほ》の係をつとめ、雑役の経験はない。

角栄は、前線からの帰還兵であるので、他の兵隊に一目《いちもく》置かれていた。

病院では、雑役の割りあてとか、廊下での敬礼を怠ったとか、些細《ささい》なことで騒ぎがおこった。患者が一等兵であれば、衛生兵の上等兵が制裁をする。それを見た患者の兵長が応援をする。対抗するため、患者の兵長が出ると、衛生兵伍長が顔を出す。患者の軍曹が出てくる。

喧嘩はしだいに上層部へ波及してゆき、ついには軍医が出てくる。宮城野原分院の軍医は尉官なので、患者の切り札である少将が顔を出すと、ひきさがらざるをえない。

ある日、上等兵の腕章をつけた衛生兵が、角栄とおなじ病室の上等兵の頬を殴った。ベッドで読書していた角栄は、腹が立った。病院でも戦地の内務班のようなまねをする奴がいる。

角栄は大声でなじった。

「なぜ病人を殴ったんだ。理由いかんでは許さんぞ」

衛生上等兵は答えた。

「軍人勅諭にあるだろう。同列同級とても定年に新旧あれば、新任の者は旧任の者に服従すべきものとな」

聞いてみると、衛生上等兵は患者の上等兵よりも、三カ月早く入隊していたので、制裁は正当ということになる。

角栄は傍らにあった棒切れを手にとった。

衛生上等兵は、角栄の兵歴も彼より三カ月みじかいことを知っていて、うす笑いをみせた。

角栄は怒号した。

「貴様は俺より勤務歴が長いと思っているんだろうが、俺は戦時の現地勤務で勤務割り増しがついているんだ。いまここで、貴様をぶち殺してやる」

衛生上等兵はおどろき、病室から飛び出していった。

その頃、角栄は病床日誌を見せられ自分の病名が肺結核と改められているのを知った。結核菌検査で、陽性になっていたのであろうか。

「結核なら、福島の須賀川《すかがわ》療養所か、長野の療養所へ移されるんだろう」

転院を待っていた角栄は、十月になって思いがけない除隊通知をうけた。

あらたな出発

角栄は入院中に転属していた、捜索《そうさく》二連隊から送られてきた除隊通知を幾度も読みかえし、信じられない思いであった。

——俺はほんとうに前線へ戻らないでもいいのか。そんなら命拾いをしたこっつぁ——

大陸では、戦線が拡大をつづけていた。昭和十六年七月二十八日、日本軍は南部仏印（現在のベトナム）に進駐し、七月二日には対ソ戦準備のため、関特演《かんとくえん》（関東軍特別演習）を発動し、九月には満州に七十万の兵力を集めた。

角栄がふたたび前線に復帰すれば、米、英、蘭の諸国と戦火を交えるであろう南方戦線へ、配置されるかも知れなかった。退院は十月五日の早朝であった。角栄はおよそ半年を過ごした宮城野原分院を退院し、衛生兵につきそわれ、仙台駅から列車で郡山に出ると、磐越西《ばんえつさい》線で新《にい》津《つ》を経由し、わが家へむかった。

角栄は、一年ちかく吸わなかった煙草を、車内で吸いつづけた。付き添いの衛生兵はおどろいていたようであったが、患者ではなくなったので、注意しなかった。

二田村の実家は、父の事業が好調の波に乗り、家計が見ちがえるほどゆたかになっていた。二人の妹はあいついで世を去ったが、三番めの妹チエ子と、末の妹幸子が成長して、亡くなった姉たちと見まがうほどに成長していた。

角栄は、十月五日から七日まで、家に三泊しただけで、八日の朝、上越線まわりの上野行きの列車に乗った。

建築設計の業界は、軍需景気に沸きたっていた。角栄はその現況を、宮城野原分院へ見舞いにきてくれた旧友の中西正光から聞いていたので、除隊通知を受けるとただちに中西に連絡をとり、東京の住居を探してもらった。

「出発が一日遅れりゃ、それだけ競争相手に差をつけられるでソ。ぐずついちゃいられねえさ」

東京に出ると、中西は戸塚二丁目にアパートの一室を、借りておいてくれた。

中西は警視庁の衛生技師をやめ、早稲田大学専門部に通いつつ、建築設計事務所をひらき、工事請負業をはじめていた。

角栄は感心した。

「君が緻密《ちみつ》な設計の技術を持っていることは知っていたが、施工業者になるとは思っていなかったよ」

堅実でいささか融通のきかないきらいのある中西でさえ、工事請負で繁昌《はんじょう》する時代になっていた。

角栄は、中西が設計施工している九段の外科医院の工事監督をひきうけ、理研各社に、除隊して社会に復帰した挨拶《あいさつ》をしてまわった。

中西は、角栄が建築設計、工事請負の事務所をひらく貸家を探しに、ほうぼうたずね歩いてくれた。

彼の家に出入りする洋服屋の主人が、省線飯田橋駅の近所に、事務所に適当な貸家があると、教えてくれた。

「飯田町二丁目に、坂本木平という内務省出入りの土木建築業者がいましてね。古い経歴を持った手堅い仕事をする人でしたが、今年の春に亡くなったので事業を閉鎖したんですよ。いまは六十にちかいおばあさんと娘、孫娘の三人が、おばあさんの妹夫婦に手伝いをさせ、世間とのつきあいもすくなくてね。ひっそりと住んでいるんですよ。

なにしろ大きな家だからその一部を貸してもらえば、事務所はひらけますよ。坂本さんは、たいへんな資産家だそうで、深川に広い材木置き場があるし、飯田橋界隈《かいわい》にも地所や家作をたくさん持っているそうです」

「娘さんのお婿さんはいないんですか」

「さあ、くわしいことは知らないが、いないようですよ。離婚したのかな」

角栄はさっそく坂本家をおとずれ、家の一部を借りて事務所をひらいた。

仙台の陸軍病院を退院して、ちょうど一カ月めであった。

理研事業団の出入り業者に復活することはたやすかった。角栄が大河内先生に特別にかわいがられていることを、知らない者はいない。

坂本家の縁故で、内務省、厚生省の仕事をひきうける。

入隊前よりも仕事のスケールが大きくなり、目がまわるようにいそがしい日がつづいた。社員の数も増えてきたので、手狭な事務所では不便になった。

「よし、あたらしい事務所を建てるか」

角栄は日本医大のむかいの、電車通りにある材木屋を買いとり、事務所を新築した。

寝る暇もないほどいそがしい角栄は、大みそかの晩になっても、理髪店へゆけない。

元旦には神楽坂のうなぎ屋で、会社の新年宴会をもよおすことになっている。二十四歳の春を迎えたばかりの青年社長が、散髪をしないでは出席できない。

日本医大と飯田橋駅の中間に、ゆきつけの理髪店があった。間口が九尺（約二・七メートル）という小さな店であるが、美人の店員が数人いて、その朝はお美代ちゃんという女性が散髪をしてくれた。

「はいっ、おまちどうさまっ」

という声にめざめ、角栄は店員たちにお年玉を渡し、店を出た。店員たちは、なぜか顔を見あわせて笑っていた。

神楽坂のうなぎ屋に着くと、お酌に出てくる女の子が、角栄を見ると皆笑った。おかしいなと気づいた角栄が、洗面所で鏡を見ておどろいた。気づかぬうちに鼻の下に髭《ひげ》が黒々とあった。

まえの年の十二月八日に太平洋戦争がはじまり、世情は騒然としていた。ラジオが軍楽隊の勇壮な音楽を鳴らし、大本営発表をはじめる。

緒戦は予想をはるかに超えた陸海軍の健闘がつづき、めざましい戦果の発表があいつぐ。角栄は多忙な業務のあいまに、坂本家をたずね、おばあさんやはなという一人娘と世間話をした。おばあさんは日蓮宗の信者で、中野の道場へお参りにゆくのが日課であった。はなは小柄で無口であるが、女らしくこまかいことに気のつく女性で、よくはたらく。

おばあさんは、亡くなった坂本木平氏の後妻で、はなは昭和八年に養子をむかえ、子供がひとり生まれたが、何か事情があって二年後に離婚したという。

おばあさんはいう。

「このままひとりで過ごさせるのもかわいそうだから、早く婿をもらうか、嫁にやりたいのよ」

はなは明治四十三年八月生まれで、角栄より八歳年上であった。

角栄には、またいとこで、いいなずけの女性がいた。父・角次が競馬で損をかさねていたとき、角栄が借金に出向いた材木屋の娘で評判の美人であった。

角栄も相手の娘も、将来は当然結婚するものと思っていた。双方の家族もそうなることを望んでいた。

だが、角栄が宮城野原分院に入院中に、一度訪ねてくるよう連絡したが、都合がわるいということで、こなかった。

除隊して東京へ出るとき、「いっしょにいかねえか」と誘ったが、やはりこない。

結婚式もあげていないし、結核で除隊になったぐらいだから、しばらく様子をみたほうがいいと、彼女の家族たちが考えていたのであろう。それにしても、情愛があればこのいいなずけと離れたがらなかったのではないかと、疑念が頭をもたげる。

角栄は除隊してただちに眠る間もなくはたらいた。それで半年前には危篤患者でまもなく亡くなると見られていた体が、酷使に耐えた。これは筆者から見れば、ふしぎとしか思えない。

事業をはじめると、たちまち好況の波に乗り、社員数がふえたので、表通りに立派な二階建ての社屋を建てた。除隊してすぐに建てたとしても、昭和十七年正月に、新社屋に青年社長として入るには、よほどの突貫工事をしなければならない。

その資金は、どこから捻出したのであろうか。理研からか、ほかの誰かに借りたのか。このときから彼の周囲には、世にまれな幸運のにおいがたちこめていた。

坂本はなは、これまで幾度か見合いをしたことがあったようだが、話がまとまらないまま、いまに至っていた。

角栄が昭和十七年正月の年賀に坂本家をたずねると、おばあさんが頼んだ。

「田中さんのお店に出入りしていらっしゃるお人のなかに、これはいいと思う男性がいたら、はなの婿にお世話下さいませんか」

「分かりました。心がけておきましょう」

角栄は答えながら、はなさんであれば、私が妻にもらいうけてもいいという考えに、突然とらわれた。

それまでは、はなのために良縁をみつけようと努力した角栄が、八歳年上の彼女と結婚する結果になった。

三月三日、桃の節句の日に、二人は他人ではなくなった。戦況が苛烈《かれつ》になってきた折柄、角栄とはなは、結婚式も披露宴もあげなかった。

口数のすくない、ひっそりと物静かなはなは、その夜、角栄に三つの誓いをたてさせた。一つは、家を出ていけといわないこと、二つは足蹴《あしげ》にしないこと、三つは、将来角栄が二重橋を渡る日があれば、彼女を同伴することである。

当時、庶民が二重橋を渡り、宮内へ参内することは、ふつうではありえないことであった。はなは角栄が政治家になるとは思っていなかったであろうし、実業家として大成功する人物であると、見込んでいたのであろうか。

角栄は昭和十八年十二月、個人企業であった事務所を、株式会社に組織変更した。「田中土建工業株式会社」という、資本金十九万五千円の会社である。

当時の業界では、全国上位五十社に入ると、工業組合の専務理事にいわれた。

田中土建が破竹のいきおいで成長していったのは、昭和十九年一月、企業整備措置要綱が発令され、軍需関連工業の企業系列整備がおこなわれたためである。

過去三年間の実績が、年間五十万円の施工高を維持していなければ、建築会社の経営を認められなくなる。軍需省の指導のもと、整備統合が進められた。

角栄は坂本組を引きついでいたので、実績において問題がなく、いくつかの群小業者を吸収合併していった。

角栄は傷痍《しょうい》軍人記章を持っていたためであろうか、太平洋戦争の戦況が苛烈になってきても、召集令状はこなかった。

はなとのあいだには、昭和十七年に長男正法《まさのり》、昭和十九年一月に長女眞紀子が誕生した。

昭和十九年、戦況は悪化していた。前年十一月、米軍はギルバート諸島のマキン・タラワ両島に上陸、日本守備隊五千四百人が玉砕した。このあと南方海域各拠点の日本軍玉砕があいついでゆく。

昭和十九年二月、奈良県でダム工事をすすめていた角栄は、突然軍の要請により、東京・王子の理研ピストンリング工場を、朝鮮大田《テジヨン》へ移転させる仕事にとりかかった。

理研重工業王子第一工場と呼ばれるこの工場は、海軍に毎月数万個のピストンリングを納めている。徴用工をふくめ、約一千人がはたらく、中規模の軍需工場である。

大田へ移す機器は、約二百台。現地にある理研朝鮮航空機材工場の敷地内に、半地下式の新工場を建設する。総工費は当時の金額で二千万円をこえる。従業員は現地採用の予定であったが、幹部要員として熟練工が、家族をふくめ二百人ほど出向《しゅっこう》する。

当時、煉瓦《れんが》造りの工場が坪当たり百二十円であった。朝鮮軍に提出した計画書には、工事所要労務者の延べ人員が、三十七万五千人と記されていた。

角栄がこの重任を与えられたのは、長岡出身の理研ピストンリング株式会社常務・星野一也の推薦によるものであるといわれる。星野は角栄に「大きい仕事をくれ」と再三請われていたのだ。

理研ピストンリングは、当時柏崎工場だけで従業員一万一千人を擁し、ほかに小千谷（千六百人）、柿崎（六千人）、宮内（五千人）の三工場を新潟県に建設していた。

角栄は興業銀行から支払われた工場疎開費用二千四百万円のうち、三分の一を着手金としてうけとった。

突貫工事であったので、六人の重役とともに現金を持ちはこび、北は鴨緑江河口《オウリヨッコウ》の新義州《シンウイジュ》から、水豊《スープン》ダムの奥の碧潼《ピョクトン》、満浦鎮《マンポチン》、清津《チョンジン》と材木の買い集めに駆けまわった。そのかたわら、延べ三十七万五千人の労務者を動員して、大工事を完了してしまった。

この大田の工場は、一部の資料によれば大河内が提唱した単能機械によるシステムが、きわめて理想的に稼動したという記述もある。（宮田親平著『「科学者の楽園」をつくった男――大河内正敏と理化学研究所』）だが、実際には工場建設にろくに手をつけないうちに、終戦を迎えたようである。（立花隆著『田中角栄研究・全記録』）

東海道線は、激しい爆撃によって寸断され、角栄は空襲のすくない上越線で器材を新潟に運び、駆逐艦で朝鮮に輸送するルートで、きわめて効率的に任務を果たした。

だが禿山《はげやま》の多い朝鮮では、まとまった量の木材を入手するのが、きわめて困難であった。満鮮工業地帯まで買い集めに出かけているうちに、終戦になった。

八月になって間もない夕方、角栄がソウルに戻り、宿舎で風呂に入っていると、ソ連軍が翌朝、朝鮮に侵入するという情報がはいった。

八月九日の朝には、清津へ木材の買いつけに出向き、東京から到着する器材をうけとりにでかけていた重役たちも、全員ソウルに戻った。

その朝、ソ連軍が越境してきた。

町の様子が、たちまち一変した。昨日まで日本語のほかは聞こえなかった町に、朝鮮語が潮騒のように湧きおこった。

八月十五日、天皇陛下の玉音放送を聞いてのち、現地採用の百余人の社員を広場に集め、最後の国旗掲揚式をおこない、朝鮮にある会社の全資産と個人財産を、新生朝鮮に寄付する旨を発表した。

財産の分配であらそいのおこらないよう、二十人ほどの財産管理委員を指名して、公表した財産目録を、全社員立ちあいのうえで寄付したのち、宿舎にひきあげた。

角栄は日本敗戦の情報を、総督府、朝鮮軍司令部から、八月十日に知らされていた。ソウル郊外の水原《スウオン》飛行場から鳥取県米子の海軍航空隊基地へ、飛行機で送ってくれるという話があったが、謝絶した。

諸事に目はしがきき、すばやい行動をとる角栄が、なぜ軍部からの特別の好意を謝絶して、ソウルに残っていたのか。

角栄はのちにマスコミの取材で語っている。

「私の知人たちは、北満のハルピンに工場を移しているものもいたし、その消息もきかないうちに、自分だけ帰国する気など、もうとうなかったのである。

私の尊敬する理研航空機材の社長・岡秀宝《しゅうほう》さんも、泰然として、全社員と運命をともにするかくごであったので、ままよ、というのが、わたくしのいつわらない心境であったのである」

これは事実であろうか。

大田工場建設の手付金八百万円の大部分は、おそらくソウルの銀行に預けていたのであろう。これを全部ひきだすために、あわただしく動いていたのではなかろうか。

角栄はハルピンからの引き揚げ第一陣と合流し、彼らに現地の消息も聞いたので、三日後の八月十八日の深夜の列車で釜山にむかう。

釜山の将校宿舎に一泊した角栄は、二十日海防艦三十四号に乗るため、兵隊の案内で朝、埠《ふ》頭《とう》へ出た。混雑のなかでの、おどろくべき特別待遇である。

水兵が、海防艦にかます入りの米を積みこんでいる。炎天のもと、埠頭の水道の蛇口に口をつけ、水を飲もうとする水兵たちから、一人につき一円ずつ料金を取っている朝鮮人がいて、角栄はびっくりした。

角栄が海防艦に乗りこむとき、どれほどの現金を持っていたか分からない。

五十嵐暁郎・新潟日報報道部著『田中角栄、ロンググッドバイ』によれば、理研ピストンリング株式会社常務・星野一也氏が、つぎの証言をしている。

「工事費二千四百万円（現在では約百三十億円相当）を、軍票で三回にわけて払うことにし、二回分、約千五百万円を送ったところで終戦になった。田中は京城へ走り軍票を現金に換えたはずだ」

工事資金は、三分の二まで支払われていたのである。

釜山港には、千トン余の海防艦三隻が碇泊《ていはく》しており、米の積込みを終えた三十四号が、最初に出発する。

埠頭は引き揚げ者で埋まっていた。すべて女と子供である。成年男子はあとまわしにされる。だが角栄は六人の重役とともに、第一番に名を呼ばれ、乗艦できた。軍部の力によって、衆人環視のなか、屈強な男たちが堂々と乗りこんだ。

艦が出港してから聞いてみると、「あなたがたは田中菊栄ほか六名です」と係員がいって笑った。角を崩して書くと、菊と読める。

自叙伝『私の履歴書』、『自伝・わたくしの少年時代』によると、口髭をはやした角栄は、なんと、女性として乗艦名簿に記載されていたという。

艦長は海軍大尉小田島保治であった。艦上で女児が誕生し、艦名にちなみ三四子と名づけられたが、すぐ死んでしまう。

艦旗に包まれたちいさな包みが港の上におろされたとき、皆顔をそむけて泣いたという。

舞鶴入港を目前にした海防艦は、米軍の意向により、本州北端を迂回《うかい》して横須賀港に直行することになり、佐渡が手の届きそうな沖合を北上していった。途中、台風に遭い、青森港に入港した。

爆撃をうけ、くすぶりつづけている青森駅から、角栄は樺太《からふと》引き揚げ者第一陣とともに、砂利貨車に乗り、細雨の降るなか、東京へむかった。

『田中角栄研究・全記録』には、海防艦三十四号艦長であった小田島保治氏の証言が記されている。小田島氏はこのとき、約四百人の引き揚げ者を運んだ。

「田中さんのことは、たしかに憶《おぼ》えています。船が出航してからしばらくして、なぜかチョビヒゲを生やした人が私の部屋に名刺をもって挨拶《あいさつ》にやってきたのです。名刺には田中土建工業社長田中角栄とありました。秘書のような人を一人つれ、その人が大事そうにカバンをかかえていたのを憶えています。あれだけの（数の）人が乗ってきたのに、わざわざ私のところまで挨拶にきたのが、田中さんだけだったから、印象が強く残ったのでしょう」

角栄を乗せた海防艦艦長、小田島氏は言葉をつづけた。

「それと忘れられないことがもう一つあります。船は舞鶴に入る予定だったのですが、米軍がうるさくて、青森県の大湊までいってしまったのです。そのとき、子供を二人連れた女の人が乗っていて、その子供が二人ともひどい病気でした。で、私のベッドを提供して、私はソファに寝ていたのですが、もう日本が目の前のところにいながら、その子供の一人が手当てのかいもなく息を引き取ってしまったのです。母親が部屋の前で亡き子を抱きながら泣いていると、そこに田中さんが通りかかったのです。そして、

『つらいでしょうが、元気を出しなさい。これはお子さんへのほんの供養《くよう》です』

といって、三百円をポケットから出してその母親にやったのです。当時三百円といったら、大変な金額です。わたしの給料が百円くらいで、かなりゆとりのある生活ができてたわけですから、三百円といったら、いまの百万円くらいの感じですね」

角栄がその母親に与えた三百円は、小田島氏の三カ月分の給料に相当する大金であった。角栄が人情にあつく、金を惜しみなく人に分け与える性格であることは、その後の立身の過程において、周知の事実となった。

しかし、たまたまおなじ引き揚げの軍艦に乗りあわせただけの他人に、いきなり大金を与えるのは、よほど現金を持っていなければできることではない。

焼け野原となっているであろう東京へ帰る角栄には、金だけが頼りである。彼がこれほどの

気前のよさを見せるには、おそろしいほどの額の現金を持っていたと考えるしかないと、立花隆氏は著書で記している。

角栄は重役六人とともに海防艦で帰国したといったが、実際には、朝鮮理研航空機材株式会社の社長・岡秀宝氏だけであったという。残りの社員たちは、一般引き揚げ者とともに引き揚げ船で帰ってきた。

立花氏は、角栄が引き揚げの際、工事資金の払い戻しをうけたいきさつを、理研元幹部から聞いたという。

工事代金の支払いは、軍票でおこなわれていた。敗戦後、軍票を持っておれば、ただになった。角栄は終戦の報せを聞くと同時に、ソウルへ走り、軍票を日本円に換えた。元幹部はいった。

「終戦と同時に、岡（秀宝）さんとダットサンで京城《ソウル》に金を換えにいったんですが、なにしろ、ガソリンがないもんで、代りにアセトンを使ったんです。ところが、アセトンを入れるときに、こぼして自分にひっかけてしまったもんで、キン玉が腫れあがってしまいましたよ」

角栄は多額の金を手にした。それは角栄だけではなく、軍部は軍需会社とその関係業者に、軍需品の未払い代金、損失補償金などの名目で、契約の三割しか製品を納めていなくても、十割納入されたことにして、全額支払う気前のよさを見せたという。

『田中角栄研究・全記録』によると、軍部は昭和二十年八月の一カ月間で百億円に及ぶ、このような臨時軍事費を支払い、占領軍が十一月にそれを禁止するまでに、二百六十六億円もの巨額軍需補償金が市中に流出していたという。

当時十六歳であった筆者は、終戦後のすさまじいインフレの裏面に、こんな事情が伏在していたことなど、まったく知らなかった（補償金は関係者が納得ずくで分けあったのだろう）。

大正八年に曾祖父《そうそふ》から一万五千円を借りていた家の主人が、得々と二万円持ってきて、利子をつけて返してあげると、いばっていたことを覚えている。

その二万円で、姉が闇市へいって、冬のコート一着を買ってきただけである。

ほかにもふたつほど、その頃の記憶がある。昭和二十年か二十一年の夏の宵である。筆者は夕涼みに、和歌山市の南のはずれ、海岸に近い和歌川の河口にある、三断橋という石造りの橋に腰かけていた。橋のむこうに小さな島があり、そこに日本で十位以内に入る建設業者の別荘があった。

筆者の座っている場所から、すこしはなれて、二人の男が話しあっていた。

「朝鮮銀行に三千万円入れてたが、出す間がなくて、置いてきてしまったよ」

筆者は、なにを大法螺《おおぼら》吹いていやがると反感をもち、闇をすかしてみると、建設業者社長が、うちわをつかいながら誰かと話していた。

その会社は、天津と満州、朝鮮に子会社を置いていた。

あまり話が大きすぎて、嘘《うそ》だろうと思っていたが、いまになって思いだすと、ありえたことであろう。角栄が外地から金を持ち帰れたのは、すばやく立ちまわったことと、釜山に近いソウルにいたという好条件にめぐまれていたためであろう。

いまひとつは、繊維のちいさな軍需工場を経営していた親戚の主人の話である。突然、製品納入先の経理将校から呼ばれて出向くと、巨大な倉庫へ連れていかれた。

内部にはパラシュート用の羽二重《はぶたえ》が、天井までうずたかく積まれていた。将校は、それを全部やるから持っていけといった。もちろん応分のリベートを渡すのである。

だが、あまりの厖大《ぼうだい》な量に、度胸のない主人は、とてもひきとれないとことわった。手がうしろにまわるようなことがおこってはならないと、思ったからである。あとになって彼はいった。

「あのとき、思いきって貰《もろ》うといたら、びっくりするような大金持ちになってたやろなあ」

角栄が東京に到着したのは、八月二十五日の夜明けまえであった。

焼けた電柱が倒れ、電線が地面に縦横に這っている。おびただしい紙屑《かみくず》が、風が吹くと辺りをころがりまわる。

飯田町二丁目の自宅も焼けているだろう。家族が無事でいてくれればいいがと、角栄は重いトランクを担ぎ、こげくさいにおいのただよう焼け跡を歩いていった。

岡秀宝氏とともに、大金のはいった荷物を、途中でかっ払われないよう、用心していった。

角栄は、まったく幸運に恵まれていた。帰ってみると、自宅はもとより、飯田町の一、二丁目にあった十余カ所の事務所、社員寮、工場、倉庫、アパートが全部焼けずに残っていた。

空襲を避けて疎開するので、ぜひ買ってほしいと頼みこまれて買った、電車通りの魚屋まで残っていた。

焼けたのは、神田河岸にあった四、五百坪の製材工場だけで、この再建はたやすい。

角栄は正法、眞紀子の二人の子を抱きかかえ、妻のはなにいった。

「俺はこの大戦のなかで、めずらしいほどの強運に恵まれた。これは神様のおぼしめしとしか考えられないよ」

角栄は、まもなく牛込南町五番地の大きな洋館に移った。

その家は田中土建の高梨設計部長が設計し、大塚専務が施工して建てたもので、空き家のまま放置されていたのである。

アメリカに占領された日本は、東京をはじめ全国の都市が焼け野原となり、住む家も職場も失った人々は、食糧の配給をうけるため、長蛇の列をつくっている。

駅の切符売り場も長い行列で、窓口の駅員たちは理由もなくいばって、客を見くだす。砂埃をまきあげ、ジープを走らせる米軍将兵は、別世界に住む特権階級のように、まぶしく見えた。

角栄はさっそく忙しくはたらきはじめた。焼け跡の、トタン張りの小屋をとりはらい、家屋を新築する注文が、ひきもきらずにきた。

「資材が足りなければ、探して買ってこい。あるところにはある。代金はかならず支払ってやるから、気にするな」

角栄は忙しく仕事をするのが好きである。

彼は紹介者をもとめ、進駐軍接収家屋の改装工事を多く請け負うようになった。

時代の動きに敏感な嗅覚《きゅうかく》を、はたらかせはじめたのである。

当時、角栄が望外の富をつかむ機会となった、臨時軍事費の支払いとともに、それよりもなおすさまじいいきおいで不当利得者の数をふやしたのが、軍保有物資の放出であった。

筆者の親戚が、大倉庫に充満したパラシュート用羽二重を、陸軍将校から捨て値で買っても、犯罪者にならなかった決定が、八月十四日に鈴木内閣の閣議でなされていたのである。

「軍保有の物資を連合軍進駐前に急遽処分することを決定した。この決定に応じ、陸海軍当局は、各部隊にすべての保有物資を速《すみや》かに放出するよう命じた。

八月十六日には、この命令と共に各部隊は軍需物資関係書類を同月十七、十八日にわたり、破棄すべきことを命じられた。

八月二十日には、総司令部命令第一号が流された。この命令により、連合軍は日本政府による軍需物資の処理放出を認めない事が明瞭《めいりょう》となった。従って、八月十四日の閣議決定は事実上無効であるにもかかわらず、東久邇内閣が正式に上記閣議決定を取消したのは、ようやく八月二十八日であった。

この間、すなわち八月十五日より二十八日に至る二週間に、事実上大部分の軍需物資は倉庫から運び出され、これをめぐって多くの不正取引（証拠隠滅）が行われた。

八月十四日の閣令を取消した後も、東久邇内閣は非合法的に放出された物資の回収を精力的に行わなかった。一般国民の血と汗の結晶である莫大な軍需物資が、無償、若《も》しくは無償に近い価格で一部の人々の手に渡ったのである。かくしてこれ等の物資は正規の配給ルートを離れ、わが国経済をおびやかす癌《がん》となったのである」

引用が長くなったが、これは、当時の「隠退蔵物資等に関する特別委員会」の経過報告書に述べられているところである。

昭和四年生まれの筆者は、立花隆氏の『田中角栄研究・全記録』によってこの事実を知ったとき、思わず胸がたかぶるのをおさえられなかった。

爆撃、焼夷弾《しょういだん》攻撃、機銃掃射で人が死ぬのを、私は見慣れていた。

昭和二十年七月九日の夜、和歌山市はB29百機で、まず周辺部の四方に焼夷弾を落とされ、逃げ場を失った市民は、中心部で重なりあって死んだ。猛火をひきおこしたつむじ風で、数百の遺体が吹き寄せられ、焼けうせた市役所の広場に、ピラミッドのように積みかさなっていた光景を、忘れることができない。

暑熱のなか、食糧不足に悩まされる筆者は、芋ばかりを食べていた。

筆者は、学徒動員令により、神戸の航空機製造工場で一年間はたらいた。そのとき、いまになって考えれば、軍需物資をいなかの土蔵や、海辺の醤油《しょうゆ》蔵などに、トラック数十台をつらねて疎開させたのだった。

いまの貨幣価値でいえば、百兆円にも達したかも知れない軍需物資が、わずか二週間で軍部周辺のごく一部の人の手にわたり、戦後の闇《やみ》成金が出現したのである。

角栄は田中土建を創立した昭和十八年、大麻唯男《おおあさただお》ら三人を顧問に迎えていた。大麻は、当時政界で名を知られた実力者で、翼賛政治会の役員をしていた。

昭和二十年十一月のある日、角栄は大麻から新橋の秀花という料亭に呼ばれた。町角にあるちいさな店で、なかへ入ってみると客の気配もなく、家具もなにひとつ見あたらない。

大麻は、絨緞《じゅうたん》も敷いていない洋間に、一脚だけ置かれた椅子《いす》に腰をかけ、待っていた。

大麻は用件をきりだした。

「占領軍は大日本政治会を解散したんだ」

大日本政治会は、翼賛政治会の後身であり、当時の議員総数四百二十六名のうち、ほぼ九〇%の三百七十八名が属していた。

「この十二月三十一日に、占領軍命令で衆議院が解散され、来年の一月三十日に投票がおこなわれる予定だ。

選挙に間にあうように、新党の進歩党を結成したんだが、党首問題で揉《も》めているんだ」

進歩党には大日本政治会に属していた代議士のうち、約八割が属している。

「総裁候補者は、宇垣一成と町田忠治だが、どちらも譲らない。そこで、選挙が目前に迫っているので、早く三百万円の資金をつくってくれた人を総裁にすると提案したんだ。自分は町田を推しているんだが、君がいくらか出してくれないか」

角栄はこころよく承諾した。そのとき、角栄が出資した金額は、三百万円とも、百万円、五十万円ともいわれる。

それから半月ほどして、大麻が誘ってきた。

「こんどの選挙に、立候補しないか」

角栄はいったんことわったが、重ねて誘われたので、その頃鹿島組をやめ、田中土建の監査役をしていた塚田十一郎にすすめた。

「あんたが出たらどうだ」

塚田は応じなかった。

大麻の側近である中井川浩、野田武夫、唐沢俊樹らが、しきりに角栄に立候補をすすめる。

角栄は迷ったあげく、大麻に聞いた。

「十五万円出して、黙って一カ月間おみこしに乗っていなさい。きっと当選するよ」

角栄はその一言に乗せられてしまった。

二十七歳の歳末であった。

昭和二十一年正月二日、大麻唯男にすすめられ、代議士選挙に立候補の決心をした角栄は、準備をするため、監査役・塚田十一郎と朝岡という男とともに、新潟市へ出向いた。

大麻から指定された角栄の選挙世話人は、佐藤芳男代議士であった。

玉家という、市中で名高い料亭の奥座敷で、佐藤から選挙についての詳しい心得を聞かされる。正月で、いい気分になって杯を重ねるうち、角栄は代議士に簡単になれるような気分になった。男たるものなんといっても、国政に参画しなければ大きな成長はできないと、角栄は考えていた。

終戦時の臨時軍事費の放出、軍保有物資の放出で、多大の恩恵をこうむったのは軍部に関係を持っていた者だけであった。

軍部が崩壊したいま、今後の日本を動かしてゆくのは政党である。国政という大きな舞台で、思い切ったはたらきをしてみたい。

片々とした土建屋稼業で生涯を送るよりも、どれだけ生きがいがあるかも知れないと、角栄は夢をふくらませた。

だが、新潟に着いて三日めの一月四日に、占領軍GHQが、軍国主義の公職追放を指令した。

進歩党所属議員二百七十六名のうち、二百六十名が追放されてしまった。

選挙の神様といわれる大麻の指図通りに動いておればよいと思っていたのが、番狂わせの情況になってしまった。

大麻がいっていたように、十二月末に解散があり、一月末が投票となるという見通しがはずれ、占領軍命令による資格審査に手間がかかり、選挙告示がおこなわれたのは三月十一日、投票日は四月十日になった。

一月初めから三月十日までの正味二カ月、角栄は生まれてはじめての、選挙演説の旅をした。

社業の面でも、そのあいだに大変な出来事がおこっていた。日本政府は進駐軍経費の全額を支出させられることになり、終戦処理費という名目で支払う経費は、当時の国家予算の三分の一に達する巨額なものであった。

日本政府は進展を続ける悪性インフレを阻止するため、二月十七日、金融緊急措置令を公布した。

新円を発行し、旧円の預貯金は即日封鎖するという、国民に苛酷な負担を与える措置である。これまでの通貨は旧円として流通を禁じ、五円以上の現金は預金を強請される。

封鎖された預金をおろせるのは、一人百円の生活資金と事業資金のみであった。勤労者は五百円までは新円でうけとることができるが、それ以上は封鎖預金となった。

旧円が封鎖預金となれば、猛烈ないきおいで進行してゆくインフレで、毎日減価してゆく。田中土建はそんな大変動の波をいちはやく切りぬけ、駐留軍工事を専門に請け負う業者になっていた。駐留軍の支払いはすべてドルで支払われる。

ドルを銀行に持ってゆけば、即座に新円と交換できる。

土建会社の工事代金は、新円、旧円をとりまぜて支払うことになるが、進駐軍接収家屋の改装を専門におこなう田中土建には、新円が集まってきた。

戦後の猫の目のように変わる経済状況をいちはやくとらえられなかった、臨時軍事費、軍保有物資放出の不正利得で肥えふとった成金たちは、封鎖預金の網にひっかかり、ヤミ商売の利得をすべて吐きだしてしまった。

東京へ戻り、社業の指導をしてはまたあわただしく選挙区に戻る角栄は、何十年ぶりかの大雪のなか、演説の旅をつづけた。


昭和二十一年二月二十三日のことである。雪がうずたかい新潟県柏崎市の商店街に、クラブ化粧品の代理店を兼ね、文房具なども扱っている洋品店があった。

その店のひとり娘の佐藤昭子は、亡母の三回忌の日であったので、叔母と店頭で母の思い出話をしていた。

昭子は六人きょうだいの末っ子に生まれたが、十五歳のときに家族のすべてに先立たれ、生家には叔母夫婦が住み、自分は近所の旅館に一人ずまいをしていた。(佐藤昭子著『決定版 私の田中角栄日記』)

『――日記』によると、佐藤は女学校の先生になるつもりで、昭和二十年春、東京女子専門学校に入学したが、終戦で学校が閉鎖したので、柏崎に戻り、授業の再開を待っていた。

突然、店頭に二人の男がたずねてきた。

ひとりは、柏崎警察署長をやめたばかりの岡部友平で、いまひとりは見知らぬ男である。

復員服の男たちを見なれていた昭子は、男が背広を着ているのに、目をひかれた。

首に茶色のマフラーを巻き、おなじ色のカシミヤのコートをつけ、長靴をはき、鼻下に黒々と髭を生やしている。

一見五十歳ぐらいに見えたが、あとで二十七歳と聞かされておどろいた。

岡部が紹介した。

「こんど、衆議院選挙に立候補される田中さんです」

チョビ髭の青年は、ダミ声で挨拶した。

「いやあ、田中です。よろしくお願いします」

叔母が二人を座敷に招きいれ、茶をだした。

「青年代議士　若き血の叫び」というキャッチフレーズで立候補する角栄は、小学校の講堂で演説をしたが、お世辞にもうまいとはいえなかった。

聴衆の前に立つと動悸《どうき》がたかまり、つかえる癖が出る。自分でも気が乗らない様子で、訥々《とつとつ》と語るが、まったくメリハリがなく、人をひきつける迫力がなかった。

酒も飲んでいないのに、まっかな顔で力んでしゃべるのだが、聴き手から遠慮なく野次《やじ》が飛ぶ。

「演説がからっ下手でねえか。なにをいいてえのか、分からねえでがん」

角栄は他の候補者とはちがい、きわめて内気であった。

トラックの荷台に乗り、選挙区を駆けまわることもせず、白襷《しろたすき》をかけ、造花を胸につけることもしない。

運動員が、雪道をメガホンでどなりつつ歩く。

「田中角栄です。田中と書くだけで結構です。角栄だけで結構です」

角栄はそのあとを黙って歩いてゆく。

選挙告示前日の三月十日、柏崎の小学校で立会演説会がおこなわれた。

角栄は塚田らのすすめで散髪をして、モーニング姿で登壇したが、他の候補者たちは泥まみれのゴム長靴に詰め襟の労働者風の姿で、

「われわれ農民と労働者は」

「憲法第○条は」

などと、角栄の理解できないような内容で、どなりつけるような口調で、延々としゃべる。

――これは、たいへんなものだな――

角栄の自信はぐらついてきた。

翌日、角栄の介添えに新潟にきていた塚田十一郎が、自由党から突然立候補の宣言をした。

塚田とともに、角栄に尽力するはずであった朝岡も、その朝東京へ帰っていった。

朝岡の兄が、千葉県で共産党から立候補したので、その選挙運動をするというのである。長岡地区の責任者として、角栄を応援することになっていた、薬酒商吉沢仁太郎も立候補し、三条地区の責任者であった皆川万吉は、吉沢の責任者に鞍替《くらが》えした。

そのうえ、群馬県境に近い、魚沼郡の責任者、古田島和太郎が立候補した。

大選挙区・二名連記投票ではあるが、総有権者数一万七千余という、ちいさな地元柏崎市から、角栄と猪股浩三、石塚善次、地元工場長を兄にもつなど理研と関係の深い佐藤三千三郎と四人が乱立することになった。選挙の屋台骨と期待していた理研は分裂したのである。

角栄の選挙参謀たちが、つぎつぎと立候補したのは、事情にうとい角栄から、それぞれ運動資金として、十万円から二十万円をまえもって受けとったためである。

角栄は、自分のほかに三人分の選挙資金を負担したことになる。

角栄は、二カ月間の遊説のあいだに、地元の実力者、選挙ブローカーにも金を吸いとられていた。一人に資金を出せば、それを聞きつけたひとつ穴の狢《むじな》たちが、いくらでも甘い汁を吸いにくる。

田中土建監査役の塚田にまでだまされ、ようやく政治家とはいかなるものかを知った角栄は、選挙告示の日から四日間迷った。政治家への願望を断念し、田中土建社長として生きてゆくほうがいいのではないかと、考えたからである。

角栄は迷った末に、立候補にふみきる。衆議院議員候補者、進歩党公認の看板を掲げ、投票までの一カ月、目も口もあけられない吹雪のなかを、黙って歩きつづけた。田中は意気軒高で、時折酒を飲んで怪気炎をあげた。

革新的な農民層が多い地盤のため、大政翼賛会に由来を持つ進歩党の角栄は、不利な戦いだった。選挙の結果は、立候補者三十七名中十一位、得票三万四千六十票で落選だった。孤立無援の状態で、これだけの得票があったとすれば、善戦である。

それだけの実績をあげられたのは、理研ピストンリング常務で、柏崎、小千谷、柿崎、宮内、四工場の工場長をつとめていた星野一也と、角栄が卒業した二田小学校校長、草間道之輔の応援を得られたためであった。

ピストンリング工場だけで従業員は二万三千六百人、ほかに理研特殊鋼、理研旋盤、理研紡織がある。

佐木隆三著『越山　田中角栄』によると、政治家を嫌う星野が、角栄を応援したのは、昭和二十年十二月十六日、理研コンツェルン総帥の大河内正敏が、戦争犯罪人容疑者として、巣鴨拘置所へ収容されるとき、ともに門前まで見送った記憶があらたであったためとしている。

柏崎の星野の家に、大河内収監の知らせがとどいたのは、十二月十四日であった。

大河内は大産業団を率い、各種の軍需品を生産してきた。傘下の仁科研究所では、原爆製造計画をすすめていたといわれた。

造兵学の権威である大河内はB29の非戦闘員にも無差別焼夷弾《だん》の雨を降らせる爆撃で、東京が焦土と化してゆくなか、一万メートルの高空を飛ぶ敵機を撃墜できる、高射砲二門を、終戦直前につくりあげた。

高射砲は久我山に配置され、B29十数機を撃墜したので、その近辺は爆撃されなくなった。

——大河内先生は、アメリカに抹殺される——

星野は新潟県下の理研産業団の幹部たちに電話をかけ、皆でお別れの挨拶にいこうと誘ったが、一人として同行する者がいない。

星野はやむなく、翌十五日、単身で上京した。理研本社へゆくと、大河内はふだんのように仕事をしていた。

「先生」

星野の両眼から涙がふきだした。

このとき、角栄は秋田の爛漫《らんまん》という清酒樽《たる》を持って、大河内を見送りにきた。

昭和二十年十二月十六日、大河内邸に十七、八人が集まり、爛漫で別盃をくみかわした。連行の責任者は上野署長であるが、ゆっくりと別宴に時間をかけさせ、あちこち遠まわりして巣鴨までいった。

拘置所の前で、MPがとうとう「オオコーチサーン」と呼ぶと、角栄がまっさきに声をあげ泣きだしたという。

星野一也が角栄を後援した裏面には、このようないきさつがあった。

角栄は柏崎―新潟間をむすぶ越後線沿線の電柱に、田中角栄《タナカカクエイ》と名前を刷ったポスターを貼った。

彼は東京からトラックに、星野一也の推薦状と、略歴を四万枚積んできて、理研各工場にある名簿に姓名の載っている有権者に洩れなく郵送した。

当時入手が困難であった上質紙を大量に用い、宣伝につとめた角栄は、新人ながら他の候補者の脅威となった。

星野一也とともに角栄の応援演説をしてくれた柱の一人草間道之輔は、涙もろい性格で、話しつつ涙ぐむ。

教育者として知名人であったので、演説をすれば、聴衆をひきつけた。

演説はたどたどしく、服装は他の候補よりぎごちなかった。だが、角栄は女性に人気があった。男性の有権者も「面白い」と認める、ふしぎな魅力がある。

柏崎中心街の柏崎神社の近所で、角栄の第一声を聞いた、柏崎西本町商店街イワシタ文具店の店主、岩下庄司氏が当時のおもいでを語っている。

「角栄は第一声で、皆さん、と大声をあげたものの、すぐさま野次が入ったので、すぐつかえてしまったね。そのまま立ち往生だ。

それが二十日たって選挙戦の終盤に柏崎に戻り、『わたしも勉強しました』と、滔々《とうとう》としゃべるのを見て、人間は変わるものだなと、角栄に非常な親しみを感じたものさ。

落選の翌日、角栄が神社の近くで、ひとりでぼんやりと立っていた。政治嫌いの私だったが、つい、ご苦労さんと声をかけた。

角栄は知らねえ男に声をかけられ、おやっというような顔をした。

俺は、お茶でも飲みにいらっしゃいと、家に誘ったよ。

三階には、私の集めた人形のコレクション五千体がある。私はそれを背に、二十歳ほど年下の角栄にいってやったね。

『これを集めるのに、三十年かかりましたよ』

角栄は私の意を察したのか、眼をかがやかせ『分かりました。私もやりますよ』といってくれた。

それから、角栄は柏崎にくるとかならず私の家へ立ち寄るようになり、二人の間柄は深くなった」

角栄は、最初の総選挙で苦い思いを十分に味わったので、次回の選挙はすべて直営でおこなうことにした。選挙ブローカーはまったく近づけない。

柏崎と長岡に田中土建出張所を開設し、百人近い社員を採用した。東京での駐留軍専属でおこなう事業は、順調に発展しており、物資の不足している、いなかの土建業者の目をおどろかす繁栄の状況が、地元の噂《うわさ》になる。

「西山の牛馬商の倅《せがれ》で、大学も出ていねえろも、商才はたいしたもんでソ。頭の切れのよさが、なみの業者とは違うこてさ。田中土建の仕事をはじめてやらせてもらうペンキ屋が、たずねていったら、これで資材を買えって、いきなり新円を五万円、眼のまえに置かれて、肝を抜かれたちゅうことだがね」

角栄は、つぎの総選挙に立候補するため、票田の有力者に、巧みに自分を売りこんでいた。彼が自分を支える柱として再び頼むのは、星野一也と草間道之輔である。

星野たちはいった。

「理研関係と、県教育界の票は、集められるだけ集めよう。しかし、君は在郷《ざいごう》が票田だから、思いっきり駆けまわることだな」

「自分でも、そう思うとるこっつぁて。足のとどかねえ所は、馬に乗っていきますよ」

角栄の票田は、柏崎、刈羽、魚沼である。

町場《まちば》は大野市郎、亘《わたり》四郎という旦那《だんな》衆の勢力範囲である。収穫高の多い平場《ひらば》の農村は、日農(日本農民組合)と社会党がおさえていて、入りこむ余地はない。

角栄は、村のなかでも在郷といわれる辺地を洩れなくまわり、票をあつめてゆかなくてはならない。

角栄が待っていた戦後二回めの総選挙が、昭和二十二年春、二・一ゼネストを機に、マッカーサーの指示により、三月三十一日に告示、四月二十五日投票で施行されることになった。

当時を知る人は地元紙のインタビューにこう答えている。

「田中はとにかくよく山に入っていった。天気が悪かろうと、行けるところまで行こ、と腰が軽かった。南魚（沼郡）の地理なんか、みんな頭に入っていたな」

角栄は、騎兵時代の腕前を利用して、騎馬で山中へ分けいることもあった。

藪神村（現大和町）のなかでもっとも山に深く入った、後山という集落に住む元村長は地元紙に当時の思い出を語った。

「オレの次の次の村長、青木馬之丞が田中にイレ込んだ。田中は凄く元気がよくて行動力があった。

後山の悲願はトンネルをあけ、町場とつながることだんが、それを若い田中に託し票を出すことにしたんだ」

新潟三区は五議席、立候補者は十一人。たいへんな激戦になる。

「いま代議士になれば、上に乗っかっていた議員が、公職追放でスッポリ抜けてるんだ。青天井がひらけてるんだよ。どんな法案でも通してみせるでがん」

角栄は、南魚沼郡の地理などすべて暗記していた。

新潟の政治風土は、元来地元の名望家が支配している。だが、日農の構成員が、しだいに角栄支持にまわりはじめ、田舎の村長たちとともに、角栄に注目するようになった。

昭和二十一年十二月二十九日に施行された、自作農創設特別措置法によって農地改革がなされ、地主階級が消滅し、それまでの小作人がすべて自作農となった。小作人は土地所有の願望がつよかったので、農民運動に参加していた。だが、土地が手に入れば社会主義をとなえるよりも、土地改良によって、利益をふやそうと考えるようになった。

社会党は、小作解放という社会主義の目的を果たしたのち、地主となった元小作人たちからやがて見捨てられることになった。

野党の社会党を支持しても、土地改良事業を導入してくれる可能性が薄いためである。角栄は精力的に辺地へ入りこみ、聴衆が数人しかいない囲炉裏ばたでも、渋茶を飲みつつ、しゃべりまくった。

社会党の候補者たちは、土地改良についての地域の懸案を持ちこんでも、トンネル、道路、水利などの事業推進について、具体的な能力をそなえていない。

その間隙《かんげき》に、まえの年とは見ちがえるように雄弁になり、現実を的確に把《つか》んだ返答をする角栄が、入りこんでいった。

昭和二十二年四月一日から投票日である四月二十五日の前日まで、星野一也と草間道之輔が、全選挙区を角栄とともに駆けめぐってくれた。

一日九会場をまわり、九十あまりの立会演説会をおこなう。トラックの荷台に立ち、土埃をあげてゆくと、道端の子供たちが、

「オーイ、若き血の叫びがきたよっ」

と叫びながらあとを追ってくる。去年のポスターの言葉をおぼえていてくれたのかと、うれ

しかった。

水木楊著『田中角栄・その巨善と巨悪』によると、選挙中の角栄には、早稲田大学雄弁会の応援団がついていたという。社会主義革命を声高に説く、作業服姿の弁士が多いなかで、角帽をかぶった学生たちは、異彩を放つ弁論をおこなった。

「国破れて山河あり。われわれはこの難局を家族あい寄って生きぬかねばならない。民族は家族によってかたちづくられ、民族の象徴は天皇制である。社会主義革命を説くとは何事だ」

早大雄弁会のメンバーが応援演説に新潟まで出向いたのは、角栄に恩義があったからだという。

戦後、早大の校舎は老朽し、雨漏りで授業ができないほどであった。

建築業者に修理をさせるが、資材不足で手抜きをするので、雨漏りはとまらない。苦情をいえば、値上げを要求してくる。

「なにしろ、インフレが凄いんだから。仕事なんかしなくて、資材の値上がりを待っているほうが、儲かるんだ」

大学では困ってほうぼうの業者に修繕を頼むうち、田中土建にめぐりあった。

角栄は契約通りの修繕工事をおこない、風雨を気にせず授業ができるようになった。

学生たちは、田中を信用して、彼を国会へ押し出す運動に参加してくれた。角栄は彼らを下へも置かない扱いで優遇した。報酬ももちろん十分に出す。

彼は演説に、浪花節風の人情味を盛り込み、女性層に訴える呼吸をいつのまにか心得ていた。

「みなさん、家族を大事にしましょ。家族を大事にしねと、この国はようなりませんよ。家族の誰かがこの田中でねえて、別の候補に入れるというても、喧嘩しねでくんなさい。

選挙などで家族が喧嘩しねでくんなせえ。みなさんはただ黙って投票場にきてくんなさい。誰も見ていねから、そっと田中と書いてくんなせて。お願いします」

とダミ声で巧みに口説《くど》いたと、水木氏は記す。

たしかに、他の候補者たちが、実現できそうもない理想論、公約を声高にしゃべりまくっているとき、笑顔になんともいえない愛嬌《あいきょう》のある角栄が、ゆっくりと人情話のような演説をすれば、異彩を放ったにちがいない。

先年物故された、愛媛県奥道後の事業家坪内寿夫氏（元来島どっく社長）が、筆者に話して下さったことがある。

「田中角栄がまだ新人の頃、ある人の紹介で私のところへきたことがあるんです。彼はいいましたよ。いくら政策を一生懸命にしゃべっても、誰も聞いてくれないってね。

それで私はいった。おもしろくない話は誰も聞かん。自分が子供の頃から、吃音で苦労した話とか、貧乏と戦って生きてきた話とか、人情ばなしはいくらでもあるだろうとね。

わしらは、世間の人情、道徳というものを、浪花節で学んだねえ。神社の境内などで浪花節がはじまると、子供のわしらは木戸銭を払わないで、石段に腰かけて聞いたもんだ。それで、どう生きていけばいいかを学んだよ。それでいけと、私は田中角栄にいうたんよ」

事実かどうかは知らないが、おもしろい話だと筆者は思った。

投票日の四月二十五日、全力をつかい果たした角栄は、自宅で熟睡していた。身内に溜まった疲労が一度に吐きだされ、選挙結果を待つこともできず、眠りこんだ。

途中で障子があき、すぐ上の姉が、どなるようにいった。

「オイ、お前さん。当選したよっ。代議士というんになったよっ」

角栄はまた眠りにひきずりこまれ、めざめたのは数時間後であった。

角栄は二十八歳で初当選した。得票数は三万九千四十三票。三区候補者十一人のうち三位の好成績であった。

得票は理研と学校関係の組織票がもっとも多く、柏崎市での得票数は一万五千余、最大票田とされる長岡では、わずかに二千二百余、南魚沼郡からは期待をうわまわる票がとれた。

翌日、角栄は初当選の挨拶でいった。

「ものがない、何がない。ないないづくしの世のなかは、あまりにヒステリックだが、胸の中へ伝統的な温かさ、精神的な豊かさだけは、取り戻したいものだ」

当時の角栄は〝革新政治家〟であった。

それまで、新潟三区は地主など上流階級ばかりが代議士になった。旦那政治が戦前からの慣例であった。

角栄は牛馬商の息子で高等小学校しか出ていない。田舎の村村で彼を支援したのは、青年団、特攻崩れ、満州開拓団帰りといった、下積みの人々であった。

彼らはそれまでの金満家による旦那政治をうちやぶり、貧しい環境を豊かに変えてゆく、行動力のある若手政治家として、角栄を支持した。

角栄は、元日本農民組合のメンバーで、戦前から小作争議を指導してきた三宅正一元代議士にもすでに認められていた。

角栄は代議士に当選してまもなく、代議士正木亮《あきら》を四人めの顧問にむかえた。正木はのちに推理小説家としても異彩を放った人物であるが、彼はたまたま自動車・ホテル業界で頭角をあらわしはじめた国際興業の顧問弁護士もしていた。

昭和二十二年の初夏、東京の中央区槇町《まきちょう》にある本社で、正木は社主の小佐野賢治に話をもちかけた。

「こんど初当選した代議士で、田中角栄という男がいるんですがね。頭の切れる人物で積極性には見るべきものがある。行動力があって明るい。将来見込みが十分ありますね。一度会ってみたらどうですか」

小佐野は正木の言葉に興味をもった。

「ほう、どんな人ですか」

「田中角栄といってね。新潟三区から初当選したんだよ」

「としは幾つですか」

「小佐野さんより、ひとつとし下ですよ」

正木はいった。

「田中は君と非常によく似た経歴を持っている。学歴は新潟の高等小学校卒だが、建築設計技術者として身をたてたんだ。その後理研の大河内総帥にかわいがられ、現役兵で出征したが結核で除隊され、理研で満州に工場を移す作業をしているうち終戦になった。

どうやらどさくさまぎれに、大もうけをしたらしく、田中土建工業という大きな会社を経営しているよ」

「そうですか。それじゃ、僕とほとんどおなじ道を歩いてきた人なんですね」

小佐野は、大正六年二月十五日、山梨県東山梨郡勝沼町に生まれた。

生家というようなものはない。貧しい両親の子に生まれた。二田村の旧家であった田中家とは比較にならない極貧者の子である。

耕作するにも田畑はない。村内の豪家の納屋、作業小屋、寺院の隅などを借りて転々と移り住んでいたと、大下英治氏の著書『梟商』などにしるされている。

小佐野は十六歳のとき、一円五十銭の切符だけを持ち、中央本線で上京した。本郷一丁目の、自動車部品とガソリンを扱う本郷商会に、住み込み店員としてはたらく場所を得た。

彼は十二人いる店員のうち、もっともよくはたらく。ただはたらくだけではなく、成功のチャンスを貪欲《どんよく》に求めていた。

本郷の第一銀行の支店長がきて、帳場で店主と話をする。そのとき小佐野は仕事をするふりをして、二人の会話の内容を熱心に聞いた。ただものではない。角栄と同様に、磁石が鉄片をひきよせるような、利益をつかむ天与の才能がある。

ひとつの仕事に何年も腰をすえるようなことはしない。本郷商会の小僧を二年つとめると、十八歳で自動車部品の歩合外交員となり、三つ揃《ぞろ》いの背広を着るようになった。

小佐野は抜群に商売がうまく、資金を貯めこむ。

清水一行著『花の嵐』などによると、昭和十三年六月、二十一歳で入営したとき、小佐野は成功者として、故郷勝沼で知らぬ者のない存在となっていた。

前の年の徴兵検査に、黒いフォードを運転して検査場へ出向き、衆目をおどろかせた。検査の結果は甲種合格であった。彼は最初の勤め先で、ストライキをおこしてやめ、大阪、名古屋、台湾で稼ぎに稼いだ。

小佐野が入営するとき、東京、名古屋、大阪の得意先から、おびただしい祝入営としるした旗、ちりめんの幟《のぼり》が送られてきたという。

客に信頼されていた彼の日常が、推測できる挿話である。旗幟《きし》の立派なこしらえは、地元の旗屋がとてもまねのできないほどであった。

小佐野は中国戦線へ出征し、江西省で戦闘中に、右足に貫通銃創をうけ、四十五日間入院した。

ようやく退院し原隊へ復帰すると、まもなく急性気管支炎となり、さらに胸膜炎を発して内地へ送還された。マラリアもわずらい、その後遺症で、頭が禿《は》げてしまった。

傷痍軍人として除隊された小佐野は、自動車部品卸商をいとなみ、主に軍需品を扱うようになった。

昭和十八年十一月、軍需省航空兵器総局が大きな権限をふるいはじめると、小佐野はその出入業者となり、軍需省嘱託、高等官二等の待遇をうけるまで、またたく間に出世していった。長いあいだ商人相手の営業に手腕を発揮してきた小佐野が、軍需省の係官にとりいるのは、わけもないことであった。

昭和十九年一月、三菱重工業など百五十社の軍需会社が、軍需省の傘下に入った。

二十七歳の小佐野は、弟の定彦のほかに、二人の社員を使い、フル操業である。部品は手に入りさえすれば、全部軍部が買いあげてくれる。

航空兵器総局のような大組織では、経理部門が緻密にはたらいていないので、一度商品を納めれば、伝票の操作で何度も納入したことにすることも可能である。

担当官から、そのように操作して、リベートをよこせと要求してくることもある。

だが、小佐野が目もくらむほどの大金を手にすることになったのは、昭和二十年八月十四日に閣議決定された、軍保有物資放出のときであった。

小佐野は水戸の陸軍飛行場に隠匿されていた、ドラム缶二千本のガソリンと、五百坪の倉庫に充満していた、キャラコ、服地、飛行隊員のマフラー用服地を、約百万円を保管担当者に渡し、入手した。

それらの品物は、インフレで諸物価が毎日高騰している最中、電話一本の交渉ですぐに売れる。

小佐野は昭和二十一年二月十七日に発令された預金封鎖を無事に逃れた。彼が一千万円以上儲けた金のうち、銀行預金にしていたのは、数万円であった。あとはすべて物資、ホテルなどの購入にあてていた。

小佐野は、敗戦直後、東武鉄道を創始した根津嘉一郎から熱海ホテルを買い取り、さらに五《ご》島《とう》慶太から、箱根強羅《ごうら》ホテルを買収して、世人をおどろかせた。

昭和二十二年六月二十日、自動車・ホテル部門を合併し、国際興業を設立した。

国際興業の顧問弁護士・正木亮は、一風変わった人物であった。彼は東大法学部在学中、刑法の大家牧野英一教授の門下で、大正七年司法省に入った。大正十年七月に東京地裁検事となったが、監獄の実態を調査するため、同年八月に刑務所に未決囚として入獄した。

その後、正木は自宅に凶悪犯をひきとり、更生するまで面倒をみてやった。

太平洋戦争がはじまると、彼は囚人たちのうちから造船奉公隊を募り、石川島造船所ではたらかせた。

監獄から囚人を出せば、脱走されるおそれは十分にある。だが造船奉公隊からは、一人の脱走者も出なかった。

正木が小佐野を金をつかむために、おそろしい策略をめぐらす人物であっても、戦国の梟雄《きようゆう》のような衆にすぐれた処世の資質をみとめたのは、彼自身が型やぶりの人物であったためである。(『梟商』から)

小佐野は正木亮とともに、飯田橋の田中土建工業本社をたずね、角栄に会った。

角栄は小佐野と一時間あまり世間話をしただけであったが、無駄口をいっさいはぶき、単刀直入に物事の核心をつかむ話しかたをする小佐野を見て、自分に似た野性のにおいをかぎとった。

――この男は、いつか俺といっしょに大きな芝居をうてそうな奴だな――

小佐野もおなじ感慨をもった。

――こいつは代議士になったばかりだが、自分の力で這いあがってきたのは、立派なものだ。協力しあってはたらいても、おもしろい――

角栄は代議士になると、睡眠時間をけずって、勉強した。彼は衆議院でそれまでの経歴によって建設委員になり、昭和二十三年「不当財産取引調査特別委員会」のメンバーになった。

不当財産とは、終戦後の軍保有物資放出についての不正追及である。この委員会で、角栄は活躍した。昭和電工疑獄事件、与党幹事長西尾末広の政治献金問題の端緒をつかむはたらきで、鋭鋒《えいほう》をあらわす。

だが、同年九月になり、炭鉱国管法についての問題を不当財産委がとりあげると、角栄の発言は急にすくなくなった。

炭鉱国管法、正確には「臨時石炭鉱業管理法案」である。

時代は少しさかのぼるが、政治状況を整理してみたい。

当時、敗戦の痛手から復興の途上にあった日本では、石炭は黒いダイヤと呼ばれていた。角栄がはじめて国会に出たとき、片山哲の率いる社会党が百四十三議席で第一党、吉田茂の自由党が百三十一席で第二党、芦田均《ひとし》の民主党が百二十四席で第三党になった。

角栄は民主党にいた。

芦田は、片山と連立政権をスタートさせようとしたが、民主党内では芦田派と対立し、自由党と手を組もうとする幣原喜重郎《しではらきじゅうろう》派がいた。角栄は幣原派に属している。理論に先走って、現実にうとい片山哲を嫌ったのである。

昭和二十二年六月一日、片山内閣は、社会、民主、国民協同三党の連立内閣を発足させた。片山首相は、英国労働党にならい、社会主義政策として、まず石炭を国家管理のもとに置こうとした。

同年九月下旬の民主党議員総会で、角栄は反対派の急先鋒《きゅうせんぽう》に立った。

「黒い石炭を赤くするな」

同年十二月二十日、三年間の時限立法として、臨時石炭鉱業管理法が公布されたが、炭鉱の管理、指定に条件をつけ、実際の目的とはほど遠い、骨抜きされた法案になっていた。法案が成立した十二月八日の本会議で、幣原派が、炭管反対票を投じた。角栄はもちろん幣原派であった。

彼は一年生議員であったが、精力的に活動し、衆議院の机を八双飛びして反対派のネクタイをしめあげ、派手な動きを全議員に知られた。

幣原派は、社会党とのパイプが太い芦田派と袂《たもと》をわかち、幣原以下十五人の代議士が民主党を脱党し、「同志クラブ」を結成していた。

幣原は、戦前は三菱財閥との縁が深かったので、資金力があったが、財閥が解体されたので、資金を集めるルートがない。新参者の角栄が会計係を担当した。

片山内閣は昭和二十三年二月に総辞職し、民主、社会、国民協同の三党連立による芦田内閣が三月十日に成立した。

五日後の三月十五日、千代田区永田町の永田町小学校で、民主自由党の結党大会がひらかれた。

党首吉田茂の率いる百十二人の民主自由党は、幣原喜重郎が同志クラブ二十八人、無所属議員八人で結成した民主クラブと合流し、ほかに三人の入党を得て、総勢百五十一人となり、日本社会、民主両党を超える第一党となった。

角栄は、選挙部長に抜擢《ばってき》された。先輩議員が公職追放で頭上がガラあきになっていたので、一年生の陣笠《じんがさ》が、いきなり要職を与えられた。角栄はそれまでに、資金集めで抜群の能力を発揮していたからである。

角栄は選挙部長になると、すぐさまその異能をあらわしはじめる。

民自党所属議員の生年月日、学歴、家族構成、人脈、資金力を調べあげ、さらに選挙区の人口構成、有権者数、支持率、選挙区の産業構造、所得水準まで、調査をゆきとどかせる。

敵対する政党の所属議員についても、同様の調査をする。その一覧表を持って民自党の会議にのぞみ、数字に裏打ちされた戦法の意見を述べる。

そこまで詳細な調査をすれば、敵陣営をつき崩すための要領が、誰にでもよく分かる。

織田信長は、戦いの勝敗は戦場へ出撃するまでに七割がきまっている、戦場で決するのは残りの三割だといったが、角栄のやりかたも、おなじような、徹底した情報収集、分析の戦略であった。

吉田茂は、大政党の首領としての、茫洋《ぼうよう》とした懐のふかさをそなえていたが、角栄のような緻密な感覚を持ちあわせていないので、よろこんだ。

「田中は現実をきわめてよく把握している。あれは視野の狭いインテリにはない感覚だな」

角栄が、「不当財産取引調査特別委員会」において舌鋒するどく追及した、昭和電工疑獄事件により、昭和二十三年九月三十日、経済安定本部総務長官栗栖《くるす》赳夫《たけお》が逮捕、さらに十月六日、西尾末広前国務相が逮捕され、十月七日には芦田内閣が総辞職した。

芦田首相が、不正融資をうけた昭和電工社長、日野原節三から政治献金をうけていたことが、判明したためである。

芦田内閣のあとを継ぐのは、野党第一党の民自党ということになるが、GHQ（連合国最高司令官総司令部）は、吉田茂が保守反動政治家として、好ましくない人物であるという印象を持っていた。

当時、リベラル色の強かったGHQは民主自由党総裁の吉田が組閣する単独内閣よりも、同党幹事長の山崎猛を首班とする、挙国連立内閣を望んでいるというのである。

戸川猪佐武著『小説吉田学校』などには角栄の精力的な活動が描かれている。民主自由党副幹事長山口喜久一郎以下の幹部が、吉田に膝詰《ひざづ》め談判をした。

「日本はアメリカ総司令部の意向を無視できません。被占領国ですから、残念ながら総裁には引退していただき、山崎君を次期総裁として、首班指名をいたします」

ワンマン宰相といわれた吉田も、GHQの意向を無視できない。

吉田は、在京の党議員総務会の席上で、民主自由党総裁の引退声明をおこなうことになった。

吉田はGHQの民政局次長ニューディール派のケージスらが、しきりに日本の民主化をとなえ、民主党、社会党に接近していることを知っていた。羽織袴、白足袋姿で国会にあらわれる吉田をケージスらは嫌っている。

吉田は総務会に、一時間も遅れ出席した。星島二郎《にろう》が、ここに至るまでのＧＨＱとの交渉の経過を報告したのち、提言した。

「吉田総裁が引退されたならば、幹事長の山崎君を後継総裁として、首班指名にのぞみます」

吉田は重い腰をあげ、発言を求めた。総裁を引退する意志を表明するためである。

そのとき、末席にいた陣笠代議士の角栄が、突然蛮声をはりあげた。

「会長、発言を求めます」

発言を許された角栄は、胸のうちにたぎるものを、一気に噴出させた。彼は、それまでの党首脳と吉田との交渉についてては、まったくの門外漢であったが、星島二郎の経過説明を聞くうちに、この話は筋道が違っていると思い、激昂《げっこう》した。

ＧＨＱの役人が日本の総理大臣を暗に指名するようなことがあっていいものか。田中はときに静かに、ときに伝法な調子で語った。

「日本はたしかに敗戦国で、総司令部の占領下にあるとはいえ、アメリカに内政干渉を許すべきではありません。

吉田さんは外交官として大長老で、国際法にも通じておられるでしょう。それで、あえておたずねします。アメリカが日本の総理大臣を決める権限を持っている。そこまで内政干渉をするとお考えですか」

いまにも総裁引退の意向を表明しようとしていた吉田は、角栄のたたみかけるような質問に、われにかえった。

吉田の胸に勇気がこみあげてきた。

彼は角栄に答えた。

「ＧＨＱは内政干渉を絶対にしないはずだ」

まわりの奴らが俺に難癖をつけ、引退させようと、ＧＨＱの意向にかこつけ、陰謀をたくらんだのだと、吉田は俄然強気になり、いい放った。

「卑俗ないいかたかも知れないが、親父がだめなら妻君を出すというような、不見識な小細工をすべきではない。私が総裁でいけないのであれば、民自党はあまんじて下野し、世論の批判を仰ごう」

総務会の雰囲気が一変した。

角栄の意見に同調する者があいついだ。

「憲政の常道をとるべきだ」

「吉田首班で、押し通せ」

斉藤隆夫会長がいった。

「ただいまの総裁、田中総務ほかの発言に、異議はありませんか」

山崎首班の提案は葬られ、吉田は総裁として組閣にのぞむことになった。

挫折をこえて

民自党総務会での角栄の活躍について、当時政治記者であった評論家戸川猪佐武（のちに『小説吉田学校』を執筆）は、地元紙にこう語っている。

——総務会は秘密会だったので、扉に体を張りつけ、聞き耳を立てていた。筋書き通りコトは運んでいるはずだった。ところが突然（田中の）蛮声がとどろいた。

「ちょっと待った！」

それを機に、会場が騒然としてゆく。総務たちが出てきて、ボクは真っ先に山口をつかまえたが、その時の渋い顔。大変な事態を直感した——

昭和二十三年十月十五日、第二次吉田内閣が成立した。角栄は吉田に抜群のはたらきを認められ、法務政務次官に抜擢された。

一年生議員としては前例がない。

選挙区は朗報にいきおいづいた。

小千谷の高橋忠蔵が、次官室へお祝いに出向いた。

「袋に米詰めて持っていったんだが、なにかの拍子で袋が破れ、米がこぼれてしまった。秘書の曳田照治は、あーっ、法務次官室にヤミ米がばらまかれたぞ、とおどけていた」

だが、まもなく角栄は炭管疑獄事件に問われ、二カ月たらずで次官を辞任し、逮捕されるに至った。

昭和二十三年十一月十一日、田中土建本社が家宅捜索された。容疑は、業者から反対運動資金百万円をもらったことである。業者と不当な資金取引をおこない、炭住工事受註についての不正な疑惑もあった。

角栄は同月二十四日、記者会見をした。

「私の会社は土建業者として、炭鉱業者らと業務上の関係は深かった。しかし、うわさされているように、業者から不正な金を受け取ったことはなく、関係者に贈賄したこともない。もちろん次官をやめるなど、毛頭考えたことはない」

だが、角栄はその四日後に翻意、法務政務次官を辞任した。これは複雑な党内事情がからんでいたためであろう。

翌二十九日、田中土建九州出張所を福岡地検特捜班が家宅捜索。出張所長入内島金一が証拠隠滅の疑いで逮捕された。

十二月七日、東京高検特捜部は、角栄の逮捕状を地裁に請求し、地裁は国会に逮捕許諾請求の手続きをとった。

同月十一日、国会で逮捕許諾決議がおこなわれるまえに、民自党は角栄に自発的に議員を辞任せよと勧告した。

追いつめられた角栄の野生が牙を剝き、勧告を拒否した。彼に逮捕状が執行され、特捜本部で取調べののち、東京拘置所に収容されたのは、十二月十三日であった。

昭和二十三年十二月二十三日、衆議院は解散した。

収賄罪で起訴され、小菅《こすげ》拘置所に収容されていた角栄は、その数日まえ、入内島金一らを、理研の星野一也のもとへ相談にゆかせた。

「小菅へいって、田中に面会してきた。こんどの選挙に立候補するかどうか、あんたの意見を聞いてこいといってるがね」

星野は即座にいった。

「拘置所からでも立候補はできる。すぐ保釈の手続きをとるんだ。選挙戦でミソギをやればいいんだ」

角栄は獄中で立候補をすることになり、秘書曳田照治が、さっそく保釈の手続きをはじめた。

角栄は支持者に獄中から電報をうった。

「ギカイ　カイサンス　タノム　タナカ　カクエイ」

発信地は東京・小菅であった。

角栄の保釈がまだ許可されないうちに、支持者は、彼の所属する民主自由党の公認を得ることに成功した。

初当選で法務政務次官となった角栄は、他の候補者たちの強敵であることに変わりはなかった。

角栄の選挙区である三区の候補者たちは、いっせいに炭管疑獄批判をはじめた。

角栄の選挙事務所に、民自党の亘四郎がきて、頼んだ。

「田中は炭管で出ねすけ、田中の票を俺にくれ」

運動員たちと話しあっている最中に、角栄から獄中立候補の連絡がとどいた。

角栄が保釈されたのは、昭和二十四年一月十三日であった。投票は一月二十三日。選挙戦は終盤に入っている。

角栄は故郷の柏崎、刈羽へむかわず、上越線の夜行列車で魚沼へむかう。

星野一也から連絡がとどいていた。

「地元では、こんどは票が期待できない。まず魚沼郡の票を集めることだ」

一月十三日の夜、角栄が夜行で六日町へゆくと、電報で連絡をしておいた、地元南魚沼郡五十沢《いかざわ》村の重立《おもだ》ち（有力支持者）松井博は、二メートルの積雪のなか、十四日の夜明けまえに家を出て、六日町駅へむかった。

松井の甥《おい》、関美宗が先に立ち、カンジキで雪のなかを漕いでいった。

角栄は駅前旅館「越後屋」で、後援者たちと大声で作戦の相談をしていた。

彼は小菅を出所したが、選挙資金がまったくなかった。

田中土建に三十万円の金があるが、それを選挙に使えば、会社は潰れる。

すさまじいインフレで、田中土建の経営は急速に傾いてきていた。

田中土建は信濃川の長生橋付近で護岸工事をしていたとき、労災保険を支払えず、差し押さえをうけた。すべての請負工事の採算が悪化し、土建業にうちこむか、代議士としての道を選ぶか、選択を迫られる時期にきていた。

いったん国政を動かす男たちの、獰猛《どうもう》な獣のような動きのなかに身を置いた角栄は、権力への渇望に身内が痺《しび》れる。

――俺は政治と心中してもいいんだこて。新潟の雪のなかから、這いだしてやらんば、死んでも死にきれん――

魚沼郡で初期の角栄の政治活動を支えた秘書、曳田照治らは選挙資金集めに必死に駆けずりまわった。

資金もろくにない、炭管疑獄被告人の角栄が持っているのは、三十歳の頑健な五体と、必死の気迫だけである。

――あと十日だ。俺は死んでもやるぞ――

角栄は三区のなかを、積雪を踏んで終日街頭演説をくりかえす。ソリと自分の足だけで、膝を没する道を、東奔西走し、夜になって六日町の旅館に戻ると、しばらく玄関の畳に倒れて動けないほど疲れ果てていた。

他の候補者との立会演説会では、かならず、

「石炭を食ったのけ」

「小菅の飯は臭くねえか」

と、他派の毒をふくんだ野次が飛ぶが、角栄は浪曲の節まわしで、待っていたとばかりに答える。

「それだこて。これから小菅報告をやるから、聞いてくんなせ」

角栄は自分が拘置所に入るまでの経緯を、軽やかに、詳しく語る。

初出馬の際のぎこちなさは姿を消していた。いまでは人を飽きさせないで、話にひきこむ技巧もこころえていた。

一年生議員で、法務政務次官にまでなった牛馬商の倅のいいぶんに、耳を傾ける男女は多い。角栄は旦那衆の政治家ではなく、庶民であった。

聴衆は身近なあたたかみの伝わる角栄の話を、興味をもって聞き、同情する。

終盤戦にはいった新潟三区でおこった出来事を、昭和二十四年一月十八日の朝日新聞が掲載した。

「あせり気味の候補者四名が、小千谷から片貝《かたかい》へむかった。三人は風と雪におびえ中止、勇敢

な一人が線路伝いに歩いていったら、鉄橋の真ん中で向こうから列車が進行してきた。南無三と橋ゲタにぶら下がって急場を助かり、からくも演説会に間にあった」

命がけの放れわざを演じた候補者は、角栄であった。

一月二十三日の投票日、角栄に投じられた票数は、四万二千五百三十八票。保守の有力者であった亘四郎に次ぐ二位当選であった。

選挙は雪のときにやるに限るというのが、以後、角栄の信条になった。

角栄の地域別得票は前回にくらべ大きく変わった。

彼の故郷である刈羽、柏崎では、炭管疑獄批判がきびしく、前回より八千票あまりが減って、一万三千六百余票となった。

そのかわり、必死に遊説に駆けまわった南北魚沼で、一万六百五十一票を得た。前回の二倍以上の伸びかたである。

地元では評判がわるい、まず魚沼へいけとすすめた、星野一也の予測が正しかった。

新潟県でもっとも収入に乏しく、半年は深い雪に埋もれている魚沼の人々は、角栄を自分たちの味方であると思った。

豪雪のなか、ソリに乗ってどんな奥地の集落にも姿をあらわし、煤けた民家の囲炉裏ばたで、あぐらをかき、話を聞いてくれる人が十人足らずであっても、熱心に雄弁をふるう。

「あんたがたが、俺にいちばんやってほしことはなんだ。なんでもいいなせ。それを命がけでなし遂げるのが、この田中だんが」

いなかの重立ちと呼ばれる人々は、それまで代議士を村に迎えたことはない。角栄は、膝まで埋まるような雪のなかを、汗みずくで歩いてきて、渋茶をすすって寒村がもっとも求めているものは何かをたずねた。

旦那衆代議士には相手にされなかったいなかの村長たちは角栄を落選させてはならないと、本気で思うようになり、彼らが手をむすびあったおかげで、角栄は当選した。

角栄は政界に復帰した。だが裁判はまだ決着がついていないので、しばらく派手な行動をつつしまねばならない。

新潟県選出の代議士は、名門出身者が多い。角栄は世間の人が信用するような家柄も学歴も持ちあわせていなかった。

彼は地域住民の願望達成に力添えをすることで、わが地位を維持しなければならない。

東京飯田橋の田中土建の奥にある角栄事務所に、地元の支持者たちが頻繁に出入りするようになった。角栄は、どんな頼みごとでもひきうける。

新潟日報社編『ザ・越山会』によると、こんな調子である。陳情にきたいなかの村長を案内して、省庁を飛びまわり、担当役人に強引に交渉した。

「おい、この爺さまのいうことを、あんたが聞いてくんねえと、オレの票が一万票も減るんだ。話がうまくはこんだら、いなかの白酒を送ってくれるそうだぞ」

角栄は毎日、秘書の曳田とともに省庁を足しげくおとずれ、役人との接触をこころがけ、しだいに顔をひろめていった。

角栄の行動力が、地元の人々にしだいに認識されはじめた。

城川村（現小千谷市）の小川常次郎は、昭和二十三年に、地域住民が熱望していた、小千谷と小国町をむすぶ、県道小千谷―柏崎線（当時）の開通を、角栄に陳情した。

「小千谷と小国郷五百町歩が道でつながれば、小千谷は商売がいまとは比べられねえほど、さかんになるんだんが」

角栄は聞くなり、

「よし、それはいい考えだ」

といい、予算獲得に奔走し、二十五年に着工にこぎつけた。

千田《ちだ》村（現小千谷市）村長、小林一夫が信濃川千谷島の堤防改修を陳情に上京したのは、昭和二十四年であった。

角栄は初めて会う小林から話を聞くと、

「よし、引き受けた」

といい、小林を連れてすぐ建設省へ出向いた。

小林は、角栄が建設省で河川局長の姿を見つけると、大声で呼びかけたのにおどろく。

「おーい局長、俺の選挙運動だ。堤防つくってくれや」

角栄は、局長にくだけた調子で口をきけるまで、日頃交誼《こうぎ》をふかめている。

局長は苦笑いをしつつ、角栄たちから詳しく話を聞くと、地図をひろげていった。

「その地域は、計画に入っていませんね」

角栄は待っていたように、多弁になった。

「だめなところを、いろいろ工夫して、うまくでかすのが政治だ。予算がなけりゃ、つけようじゃないか。なんとしても実現してくれ。あんたが誠意を見せてくれれば、俺はその恩義を絶対に忘れない」

局長は、角栄のめまぐるしいほどの行動力が、彼なりの信義に裏づけられていることを知っていた。受けた恩をかならず返す男である。

堤防改修計画は、二十七年に実施されることになる。

角栄のこのようなはたらきは、地元で評判になった。

「あれは、いままでにない切れものだでがん。応援すれば、俺たちの力になってくれる。陳情にいけば、省庁の役人たちに顔のきくことは、おどろくほどだ」

角栄の人気は、急速にあがっていった。

彼は炭管疑獄事件の被告であるが、民主自由党内での地歩は、抜けめなくかためていた。

角栄には、自分のもっとも有利な進路を見つけだす、天与の感覚がある。第三次吉田内閣で、大蔵大臣を池田勇人《はやと》にすることを主張したのである。

池田勇人は明治三十二年十二月三日、広島県賀茂郡竹原町の酒造業をいとなむ家に生まれた。角栄より十九歳年上である。五高、京大法学部を卒業し、大正十四年大蔵省に入った。

池田は在職中に象皮病という難病にとりつかれ、休職して竹原の実家で養生した。病気はいっこうに回復しない。

二、三年のうちは、同僚たちに取り残されるのを苦にしていたが、ついに前途に望みを断ち、母につきそわれ、四国の仏寺を遍路してまわった。

遠縁の娘が看病にきて、懸命につくしてくれた。その女性がのちの満枝夫人である。

象皮病が全快したのち、池田はひさびさに上京した。彼は大蔵省に復職する気がなかった。東京であたらしい勤め先を探すつもりである。

だが、ある日デパートのなかで、偶然に先輩の松隈秀雄に出会った。

松隈は大蔵省の課長であった。彼は池田の近況を聞くと、ぜひ大蔵省へ戻れとすすめた。然《しか》るべき処遇を考えようというのである。池田は大蔵省に戻った。同僚たちにくらべ、昇進は遅れているが、やむをえない。

だが、そのことが敗戦後、彼に思いがけない幸運をもたらした。上司、先輩があいついでGHQが発した軍国主義者の公職追放令により、職場を去ったため、急速に昇進し、大蔵事務次官までのぼりつめた。

池田が事務次官になったのは、昭和二十二年で、昭和二十四年一月には郷里の広島県から民主自由党公認で立候補し、衆議院議員に当選した。

吉田茂は、大蔵大臣の選任に慎重であった。GHQ最高経済顧問ドッジ公使が来日しており、経済安定九原則の実行、超均衡予算、税負担の増大と経費削減の、「ドッジ・ライン」と呼ばれる経済政策の実施を指示してきた。

有能な大蔵大臣でなければ、今後の難局をきり抜けられない。

吉田の側近である角栄は、吉田の女婿麻生太賀吉《あそうたかきち》、根本龍太郎とともに、池田を推薦した。初当選したばかりの池田は、いきなり蔵相になるとは思ってもいなかったが、吉田は角栄らの推薦をうけいれた。

池田が政界に入って、はじめて恩義をうけたのは、角栄であった。池田は義理がたい性格である。

あるとき角栄がいった。

「うちには女房とのあいだに、義理の娘がいるんだ。九つのときから育てて、実の子同様にかわいい。将来、いい亭主に嫁にやりたいものだ」

池田は八年後、その娘を自分の甥と結婚させた。

角栄は、池田とはじめて会ったとき、この男は上り坂にさしかかっていると、直感した。池田は一年生議員で、政界の実状を把握できていない。

そのため官僚嫌いの大野伴睦《ばんぼく》に接近するなど、見当ちがいの動きを見せる。大野は吉田と対立する、旧政友会系の党人脈の代表である。

池田は組閣人事について、蔵相は公正取引委員長の笹山忠夫か、三井銀行頭取佐藤喜一郎のいずれかが起用されると見ていた。

自分は大蔵政務次官になるという情報を耳にしている。

角栄が池田を大蔵大臣に推したのは、彼がインテリではあるが、理論に走らない人情を解する人物であると思ったからである。

病気とたたかった池田の屈折した過去が、順風満帆の人生を送ってきた者よりも、幅のある性格をつくった。角栄は物事を進めるうえで、性急である。彼は無駄口をきかず、するどく核心をつく、池田の話しかたが気にいった。

鈍重にみえるが、GHQの激しい内政干渉に対抗する忍耐力と才能があると見たので、彼を蔵相に押しあげた。それが、角栄の政界における立場を、いっそう固めることになった。

昭和二十五年四月十一日、東京地裁は角栄の炭管疑獄事件の判決を申し渡した。

「主文、被告人を懲役六月に処す。この裁判確定の日から二年間、刑の執行を猶予する」

角栄はただちに控訴した。

一審判決が二審でくつがえされる確率は五%といわれるが、敏腕の弁護士正木亮は、かならず無罪をかちとると、角栄を力づけた。

一審判決が出される直前の冬、「長鉄復興運営協議会」会長山崎豊吉と、副会長風間信吉が、東京飯田橋の田中土建事務所へたずねてきた。

角栄は田中土建の業績が倒産寸前の状態になり、意気があがらない。倒産すれば、全財産を手離さねばならない。田中が迎えた唯一にして最大の経済的危機であった。

山崎たちは、長岡鉄道の電化を陳情した。

「長鉄の電化は、三島郡の悲願ですけ。電化には億をこえる金がかかるらろも、先生のお力で国から金をひき出し、三島郡の動脈を救うてくだせえ」

長岡鉄道は、大正十四年に開業し、三島郡寺泊町と西長岡間三十一・六キロ、西長岡と三島越路町来迎寺《らいごうじ》間七・六キロ、計三十九・二キロの二路線をもつ、地方鉄道であった。

当時、三島郡内にはバス、トラックがろくに走っていなかった。住民は長岡へ遠出するのはもちろん、隣町へゆくにも長鉄を利用する。

信越線、越後線に接続する長鉄は、関東、関西へ米を出荷し、肥料を購入する、農村産業の動脈であったが、開業以来、乗客のすくない赤字線であった。戦後のインフレで石炭価格が高騰し、全国の経営難私鉄五社のうちに入った。

長鉄の車輛《しゃりょう》は小型で、軽便鉄道のようである。雪害に弱く、冬季には運休、運転の途中打切りがあいつぐ。

全国の私鉄は、あいつぐ石炭の値上がりに対処して、燃費が十分の一の電化で経営難を乗り切った。しかし、長鉄に電化資金を調達するあてがない。

角栄は山崎、風間らの頼みをことわった。

「俺は刈羽郡出身で、三島郡に縁はない。だすけ、亘先生にお頼みするのが筋だろう」

自分の会社が破産寸前である現在、赤字の累積している長鉄などに、かまっている余裕はないと、角栄はことわった。山崎らは三島郡寺泊町出身の亘四郎に、社長就任を数回頼んでことわられ、社会党の三宅、清沢らにも頼んだが、やはり拒まれた。彼らは口をそろえていった。

「田中君がいいよ」

山崎、風間は、七、八回ほど角栄に陳情をくりかえした。

「電化に成功すれば、先生は三島郡の票を大量に得られるでしょう」

この一言で、角栄の心が動いた。炭管疑獄で有罪が確定したときも、代議士としての地位を失わないためには、票田の確保が絶対必要である。

角栄は、承知した。九月下旬、長鉄労組委員長らが角栄に会った。委員長千羽幸治は、のちに語った。

——チョビ髭を生やし、とても三十二歳とは思えなかっただがね。声が大きくて、びっくりしたぞ。それよりもびっくりしたのは、長鉄の経営状態を、俺たちよりはるかによく知っていたことだ。沿線の住民と、株主と従業員が一体となって協力してくれるなら、微力をつくしてもいい。組合には経理を公開してもいいってこっつぁて。この男なら若いが会社を立てなおしてくれると思ったもんだこて――

昭和二十五年十一月一日、角栄は長岡市立小学校体育館でひらかれた、臨時株主総会で社長就任の挨拶をした。

「昨日、親父《おやじ》からおれの目の黒いうちは、赤字会社の社長になどなるなといわれたが、私は引きうけた。（中略）もし失敗したら、男として二度と故郷の土は踏まない」

角栄は総会の席上、すぐさま提案した。

「黒字になるまで、社長以下、重役は無報酬にしよう」

従業員大会で、労使一体の協力を呼びかけるとともに、沿線の町村長、農協組合長に会い、資金協力を依頼した。

昭和二十五年六月、朝鮮戦争がおこったので、特需景気で資材が暴騰し、工事費は予定額をうわまわると見られていた。

「長鉄復興運営協議会」は、関係市町村に出資を呼びかけた。

長岡市は八百万円、来迎寺村（現三島郡越路町）は一千万円、大津村（現三島郡三島《みしま》町）では村長が個人で二百万円を出資したが、工事費にはほど遠い。

角栄は一億数千万円を要すると見られる電化費用につき、日銀新潟支店長にかけあい、県内の北越相互、大光相互などで協調融資団を結成させたのち、昭和二十六年六月、日本開発銀行から一億二千八百万円の融資をひきだした。

この前後、角栄は炭管疑獄の控訴審判決で、無罪が確定した。

――これからは、誰にはばかることもなく、政治家として枢要なポストを把《つか》む道をめざそう――

創立間もない開発銀行の初代総裁は小林中《あたる》。小林は吉田茂に近い存在であった。角栄はどこにはたらきかけたのか、彼一流の政治力を発揮したのである。

開発銀行はその後、資金不足のため、融資の実行を翌年に延期したいと通告したが、日本興業銀行など三行に融資を委ねることになる。

三行は一億二千八百万円の融資額の半分しか出さなかったので、ともかく、六千五百万円の資金で工事に着手した。やりだせば、何とかなる。

昭和二十五年、一流大学を卒業し、大企業に就職したサラリーマンの地位は、主任か係長で、給料はどんなに高給でも二万円をこえることはない。

角栄が入りこんだ政治の世界は、庶民にとっては魔法の国のようなものであった。

「一度や二度は監獄に入らんば男じゃねえ」と角栄はいったという。

権力をつかむためには、危ない橋を渡るのをためらっていては、たちまち権力集団から取りのこされ、蹴落とされる。

国政の中枢につながっていれば、おなじ年頃の男たちが想像もできない、眼のくらむような力を手中にできる。

角栄は裸でのしあがってきた者の、思いきりのよさがあった。ふたたび裸になっても、あらたな道を這いあがってゆく自信がある。

彼は餌のありかを探しあてる、野獣の嗅覚のままに動いた。

角栄は昭和二十六年九月二日に起工式をおこない、融資に代わる工事資金の十分な保証も立たないまま、突貫工事に入った。

沿線の町村長は、資金不足ではじまった工事に、懸命に協力し、架線用電柱、枕木《まくらぎ》、特需景気で暴騰している架線などの資材を、ただ同然の安値で提供した。

角栄は佐藤栄作を通じ、彼の側近の西村英一に、長鉄取締役就任を依頼し、工事の最高責任者として指揮をとってもらうことにした。

西村は、東北大学工学部卒業後、鉄道省電気局長をつとめ、国鉄電化の神様と称されていた。

西村は現場の状況を見て、十二月一日に電車を走らせるという角栄に、いった。

「奇跡でもおこらんかぎり、実現できない工程だな」

「いや、突貫工事でやりますよ」

工期は三カ月しかない。

建設業者、社員が昼夜兼行の工事に加わり、疲れはてた。

十二月一日、六時半の始発電車を走らせるときが迫った。前夜の試運転は、はじめから障害に乗りあげた。

新しい電車は六輛あったが、一輛めから五輛めまでが、走りだすとすぐパンタグラフが故障して停止した。

角栄たちは、必死で原因を追及した。

工事を急ぎすぎたので、架線のつなぎめの結びかたが粗雑になっていたのである。

あとに残ったのは、一輛である。これが故障すれば、翌日の開通式をおこなえず、三島郡住民の期待を裏切ることになる。

失敗すれば、三島郡の得票もあてにできなくなり、開銀から工事残額の融資をことわられるという、最悪の事態にもなりかねない。

最後の一輛を走らせるか、重役たちは迷った。

角栄は命令を下した。

「とにかく出せ。だめだったら、俺が土下座してあやまるよ。賭けてみよう」

架線に応急修理をほどこしたが、試運転の成否は、やってみなければ分からない。

西長岡駅で、角栄たちが息を呑んで見守るなか、最後の一輛が発車した。

電車は無事に全線を走り通した。

「万歳」

「よかったなあ。これは奇跡だで」

重役も現場員も、ともに感激の涙をぬぐった。午前三時であった。

十二月一日の朝は、小雨が降ってはやむ曇り空であった。

電車が軽やかに走ってゆくと、沿線の住民が日の丸の旗を振って、歓呼した。

「万歳、万歳」

角栄は長鉄電化に奔走しているあいだにも、つぎの飛躍にそなえ、政治資金を捻出していたといわれる。

彼は東武鉄道から中古品のレール、車輛を二千万円で買い、帳簿には新品を購入したことにして、はるかに高い価額を記載し、その差額でつぎの選挙資金、党への献金をつくったという。

炭管疑獄控訴審で、ようやく無罪をかちえた角栄が、そんな離れ技をあえておこなったとすれば、やはりなみの男が持ちあわせない、糞度胸としかいえない胆力があったのである。

電化によって長鉄の営業時間は大きく延長され、運行本数は一日八往復から十六往復にふえた。

翌昭和二十七年八月二十八日、吉田首相は自由党（民自党は昭和二十五年三月、自由党と改称）内の反吉田派の動きに先手を打ち、抜き打ち解散をおこなった。

角栄は同年十月一日、長鉄社長として総選挙にのぞんだ。代議士として二期当選したにすぎない角栄の地盤は、柏崎市、刈羽郡、南魚沼郡であるが、他の候補者にくいこまれかねない不安定な状況である。

長鉄は電化で再建への道を踏みだしたばかりで、社長が落選すれば、たちまち社業に深刻な影響が及びかねない。

このため、全社員が必死で選挙戦にのぞんだ。

角栄の名をひろく知らせるため、三島郡内の青年団を対象として、「田中杯争奪」という名目の野球大会、釣り大会をおこなう。

当時としては、住民の目をひく企画であった。

長鉄は、三島郡内の保守系有力者である、与板町《よいたまち》の山崎豊吉町長、来迎寺村の白井又三郎村長らを、取締役に迎えていた。

長鉄の電化は、昭和二十七年に全線が完成し、営業時間は以前の午前六時半―午後六時から、午前五時半―午後八時半に延び、住民が信頼できる交通機関となった。

長鉄が社業の前途をかけて戦った選挙の結果は、得票数六万二千七百八十八票。はじめてのトップ当選であった。

三島郡での得票は、前回の二千六百二十六票から、九千八百四十三票へと、三・八倍にふえ、長鉄沿線の古志《こし》郡でも、二倍の増票となった。

角栄は政治活動をはじめると、社業を十分に監督できない。月一回の役員会に出るのがやっとであった。役員は三島郡内の有力者ばかりで、常勤ではない。

角栄は小千谷市に住む戦友の大渕次郎吉にたずねた。

「会社を任せて安心していられる人物はいねえか」

大渕次郎吉は、角栄に答えた。

「友達にいいやつがいるがねえ。関藤栄というんだ」

関は小千谷市の医師の長男で、長岡高等工業学校を卒業、戦時中は大阪の兵器工場で技術将校としてはたらき、戦後は小千谷の精密機械メーカーの役員をつとめていた。

身長が当時としてはめずらしい、一八〇センチの巨漢である。

「その人にきてもらおう」

角栄は関を招き、バス部門を統括する自動車課長兼用度（資材）課長として採用した。

三カ月後にはただ一人の常勤役員に昇任され、支配人となった。

関は入社と同時に社長印を預けられ、すべての社内稟議《りんぎ》の決済をした。

彼は部下に寛大であったが、職務に忠実で、しばしば残業をする律儀な性格の男であった。

角栄は長鉄にバス・ハイヤー業部門を新設していた。小佐野賢治のすすめによるものである。

小佐野は、バス会社国際興業の経営で大発展していた。

朝鮮戦争勃発《ぼっぱつ》ののち、韓国内の米軍基地、日本国の横田、岩国、厚木の各基地にバスを入れている。

角栄は、国際興業から中古バス二十数台を譲りうけ、陸運局にはたらきかけて長鉄のライバルである栃尾鉄道長岡駅から悠久山《ゆうきゅうざん》公園駅までのバス路線の認可をとった。

角栄が地元選挙民に名前を浸透させるため、東京目白の自宅へバスで団体旅行をさせるいわゆる「目白詣《もう》で」をはじめたのは、昭和二十六年頃であった。

発案者は田中土建から長鉄総務課長に移った、本間幸一であった。角栄が昭和二十一年にはじめて立候補したときから、選挙の手伝いをしていた本間は、角栄に進言した。

「団体で寝泊まりして、いっしょに飯を食うと、ふしぎに仲間意識がわいてきます。私は柏崎でボーイスカウト運動をしていたので、その経験があります。

後援会の団結をつよめるには、団体で東京へ出かけて、先生に会うのが一番効果があるでしょう。

季節は春がいい。雪のない土地の解放感を味わうためです。あたたかい東京とまだ雪の融けていない新潟の地域格差を身をもって知ることができるからです」

角栄は即座に同意した。

「それはいい考えだ。すぐやろう」

二泊三日の日程で、新潟を夜行列車で出発。翌朝、東京温泉で朝風呂《ぶろ》にはいり、朝食後、国際興業バスで目白の田中邸へゆく。

そのあと、国会、皇居に出向き、浅草の国際劇場でレビューを見る。時間の余裕があれば、江ノ島、熱海、伊豆に出かけた。

後援会員が田中邸へおとずれると、角栄が自らお茶を出し、羊羹《ようかん》をくばった。甘いもののめずらしい当時、羊羹を紙に包んで持ち帰るものもいた。

角栄は彼らの泊まるホテルに出向き、「天保水滸伝」を唸って、あたたかいもてなしをする。「目白詣で」にいった者は地元でうらやましがられた。

新潟日報によれば、昭和二十七年選挙で、「八当五落から二当一落の時代になった」という。選挙費用が八百万円で当選、五百万円であれば落選したのが、二千万円で当選、一千万円で落選の時代になったのである。

新潟三区の保守系は、強力な金権選挙をやっていた。同年の選挙では、小千谷市、北魚沼郡の田中派後援会から、未組織地区での供応容疑で逮捕者が出た。

未組織地域へくいこむためには、集落ごとに会合をしなければならず、集まってくれた人々には酒食でもてなさねばならない。

違反の出た次の選挙は要注意というのが鉄則である。金を使わずにすむ選挙をおこなうためには、後援会をつくらねばならない。

当時の新潟県では、僻地《へきち》の橋や道路が整備されていなかった。角栄は都市部にはくいこめない。

三区最大の票田である長岡市では、刈羽郡出身の角栄は、よそ者でしかなかった。都市部の商工業者からしめ出された角栄は、持ちまえの強気を発揮して、農村の地域開発に全力を傾けた。

角栄の尽力を待つ農民は、数えきれないほどであった。古志郡山古志《やまこし》村種苧原《たねすはら》という集落があった。四方を険しい山に囲まれた、陸の孤島である。

昭和二十五年、種苧原青年団長であった青木徳司は、長岡市で朝十時にひらかれる会合に出席するため、四時に起き、徒歩で山を越えねばならなかった。

山麓《さんろく》の宮内町（現長岡市）村松まで、バスが通じている。会議が終わると、村松の青年団長らは、下駄ばきでバスを降りていった。

青木はただひとり、長靴にはきかえ、悪路を三、四時間も歩いて帰宅した。彼は村松の連中が、うらやましくてならなかった。

青木は村の青年たちと、夜の会合の場でいった。会合は深更まで風土論、政治論が闘わされる。

「文化の第一歩は道でねっか。それには、山にトンネルをぶち抜くほかはねえ」

トンネルが完成すれば、出稼ぎが減少し、平野部との経済格差がちぢまる。彼らのもとへ、角栄の支援要請がきた。道をつくり、出稼ぎを減らすという。

青木たちは、即座に村内に後援組織をつくった。

長岡市から東のほうへ、山地のあいだを蛇行する道を登ってゆくと、福島県との県境に近いあたりに、入広瀬《いりひろせ》村があった。

昭和二十八年、村の経済課長須佐昭三が東京の田中邸へ陳情に出向いた。

当時村民は四千人いたが、山間で米作をする耕地がない。ふだんの主食は、芋、大豆である。炭を製造して売った代金で、盆と正月だけ白米の飯を食う。

須佐は角栄に窮状を訴える。

「私たちの村の者は、町の人間の食うものにくらべれば、猿の餌のようなものを食っているのであります。なんとかして、皆に米の飯を腹いっぱい食べさせてやりてえと思います」

角栄はその言葉を聞いただけで、眼をうるませ、汗を拭くふりをして涙をぬぐう。

貧困の苦労話は、彼の少年の頃の記憶につながっている。

角栄は選挙運動で入広瀬村をおとずれたことがあり、実状を知っていた。

須佐は、言葉をつづけた。

「冬になって雪が降りだせば、車も動かねえし、人だって歩けなくなります。陸の孤島になるから、病人が出たら、親戚の者が総出でソリに乗せて小出《こいで》まで連れていかねばなりません。また小出まで誰かがソリで医者を迎えにいく。手当てが間に合わねえで、病人が死んじまうこともあります」

国鉄只見《ただみ》線は、小出まで通じていたが、入広瀬にはきていない。

角栄は須佐を連れて農林省の役人にひきあわせ、山地を整備して百ヘクタールの農地をつくる予算を出す交渉を、してくれた。その結果、七十ヘクタールの農地整備ができたので、村民の食用に供するに十分な米がとれるようになった。

角栄は昭和二十六年五月、長鉄の株主総会で、鉄道、バス、ハイヤー業に加え、砂利採取販売業をはじめることにきめた。

東京の西武鉄道、神奈川の相模鉄道は砂利採取で高収益をあげていた。

長岡市大島町の長鉄本社は、川砂利が無尽蔵にとれる河原がひろがっている、信濃川左岸と渋海《しぶみ》川の合流点の間近にある。

二年後の二十八年五月、長鉄本社の近所に砂利、砕石工場を建設し、砂利を積んだ貨車を、信越線に乗り入れるようになった。

それまで、建設業者は、川砂利の採取をしていたが、小舟に手ですくって入れるほどのことである。

長鉄は採取機械を設けた鉄船を稼動させ、砂利で荒稼ぎをして、電化工事費の負債返済をおこなった。

国会議員には、国会法により、法律を提案する権利がある。議員立法であるが、実際には、法律のおおかたは、行政の実情に通じている官僚に起案させる。

政治家は、あらたに法律をつくりだすだけの、専門的な知識に乏しいので、役人に頼り、法案を作成させることになる。

法律は成立すると、おそろしい力を発揮する。法治国家の国民は、法律に保護される半面、その統制に縛られてしまう。

鉄の規律に違反することはできない。

そのように重要な法律の立法を、政治家はめったにやらない。条文をまとめあげるだけの、能力に欠けているからである。

だが、角栄は代議士になると、早速法案をまとめ、提出した。

住宅金融公庫法と公営住宅法である。

さらに、雪国の新潟県に生まれ、道路整備の必要を身にしみて知っている角栄は、道路関係法の成立をいそいだ。

彼は、切れ者として、中央政界で知られるようになった。


新潟県の初代民選知事として、戦後八年間活躍した岡田正平は、福島県側に流れる只見川の水を、奥只見、田子倉、五味沢の三カ所に総計十億トンの貯水池をつくって、信濃川に分水する、分流案を実現しようとしていた。

百七万キロワットの水力発電をおこなういっぽう、農業用水にも利用するのである。

岡田は、東京へゆくと、新潟県選出の塚田十一郎、渡辺良夫と角栄を、下谷の料亭へ招き、相談した。

会合の席には、岡田の後援者である東邦物産社長・寺尾芳男も出席する。寺尾は岡田から、在京知事と呼ばれるほど、密接な間柄である。

角栄は寺尾から、財界人の勢力関係を教えられ、政治家に必要な多くの知識を得た。

昭和二十七年二月二十三日、昭子が雑司が谷の自宅へ外出先から帰ると、見なれない外車がとまっていた。

「誰かしら、いまのわが家に外車で乗りつけるはずがないけれど」

昭子はいぶかしんで近づくと、車窓がひらく。

「奥さん、ご主人は」

顔を見ると田中角栄代議士であった。たずねてくるはずもない人の顔を見た昭子は、全身の血が逆流するようであった。

これは佐藤昭子著『決定版　私の田中角栄日記』にえがかれている、彼女と角栄がひさびさに出会う場面である。佐藤昭子はのちに〝越山会の女王〟として知られる。かつて佐藤昭という名であったが昭和五十四年に現在の名に改名した。

昭子が角栄を見て、心臓が高鳴るような思いをしたのは、親会社の社長が、自ら借金をとりたてにきたと思ったからだという。

それまでに、田中土建の社員が何度も雑司が谷の借家にたずねてきて、昭子はそのたびに主人が留守であるといって帰した。

彼女が角栄に主人は留守だというと、ちょっと話があるというので、ポンティアックに同乗し、池袋の森永喫茶店にゆく。

角栄は店内に知人がいたのであろう、

「ここじゃゆっくり話ができない」

と、さらに白山下の料亭へ連れていかれた。角栄は座敷にあがると、さっそく話をきりだす。

「今朝、選挙区で君たちが離婚すると聞いたので、かけつけてきた」

角栄は昭子の夫を褒《ほ》めた。

「彼は優秀な青年だ。なんとかもう一回、元に戻れないのか」

「いいえ、あさってには家を出ます」

昭子は事情を語りはじめた。

彼女は昭和二十一年、十八歳で最初の結婚をした。結婚届は、昭和二十二年九月に出した。夫のYは元陸軍少尉で、昭子と同様に柏崎で生まれ、幼時に孤児となった男である。

Yは、柏崎警察署長に頼まれ、角栄の後援者として、演説会で名代《みようだい》をつとめたりした。柏崎でぶらぶらしていた「古着屋の幸ちゃん」こと本間幸一を角栄と引き合わせ、幸ちゃんはのちに越山会の新潟での国家老といわれるようになった。

Yは昭和二十二年、昭子とともに上京し、角栄の助力で小さな電気工事店をひらく。住まいは、田中土建の寮であった。

角栄はその年、初当選を果たす。Y夫婦は長男をもうけ、角栄が名づけ親になった。

角栄は第二次吉田内閣で、法務政務次官になったが、炭管疑獄でつまずく。田中土建の社運も急速に傾いていった。

Yの仕事は、はじめは順調で、飯田橋に社屋を新築し、下北沢に住居を買い、お手伝いさんを使えるほどの生活であった。

だが朝鮮特需で、仕事が激増すると赤字がふくれあがった。物価が急速に上昇するので、工事契約額をはるかにうわまわる金が、資材購入に消えてゆく。

飯田橋の事務所も下北沢の家も売り払い、五、六人いた社員を連れ、雑司が谷の借家に移った。

昭子は銀行から手形がまわってくれば、社員に自分の着物を渡し、質屋へいかせる。

Yは水商売をしている女の店の二階で同棲《どうせい》し、雑司が谷へめったに帰らなくなった。

Yは昭子に柏崎にある彼女の家を売らせ、その金を全部とりあげ、家を出ていけといった。

離婚するのである。

昭子は、そのような事情をすべて角栄にうちあけた。

三年ぶりに再会した角栄は、

「そうか、覆水盆に返らずだな。これから、どうするんだ」

就職先が決まるまでの数カ月間、やむを得ずアルバイトをしているというと、角栄は誘ったという。

「俺の秘書にならないか」

当時、秘書の給料は一万九千八百円。それを区切りよく二万円にしてくれるという。

若い女性にとっては、破格の好待遇であった。

たしかにその通りである。筆者が旧制大学を卒業し、昭和二十六年に入社した初任給が一万七百円。国内企業の最高額であると、新聞に掲載された。

「私に勤まるでしょうか」

「大丈夫、勤まるよ。これからは俺が全責任を持つ。それにしても、そんなに困っていたのに、なぜ俺を頼ってきてくれなかったんだ」

角栄が雑司が谷の家をたずね、昭子が留守だったので引き返そうとすると、近所に小火《ぼや》があって通行止めになり、非常線が解かれるのを待っていたのだという。

「五分早くきていたら、小火がおこるまえに帰ってしまい、君とは永久に会えなかったかもしれん」

白山下の料亭の一室で、角栄はしみじみといった。

「きょうは二月二十三日か。また君のお母さんの祥月命日だなあ。ほんとに不思議な因縁だ。俺と君が初めて会ったのもお母さんの命日だったし、こうして会えたのは、死んでも死にきれないで君のことを思っていたお母さんが俺に君を託したんだよ」

『決定版　私の田中角栄日記』に、こう書かれている通り、昭和二十七年十二月一日の月曜日から、永田町の議員会館へ出勤するようになった。

繊細な感情の持ち主で淋しがり屋であったという、角栄の心の支えとして昭子はこののち長い年月を過ごすことになる。

児玉隆也著『淋しき越山会の女王』では、昭子（昭和五十四年以前は「昭」）が雑司が谷の借家に六歳の子を残し、離婚したのは二十五歳のときであったと記している。昭和二十八年である。

彼女は大井町の安アパートに六畳一間を借り、ホステスになった。

新橋のガード下にあったキャバレー「S」は、当時ビール大瓶をつきだしセットで二百五十円、追加ビール二百円という現金制度の店で、いまは火事で焼けてしまったが、トイレのにおいがただよう店であったという。ホステスの日給は五百円から八百円。指名料は二百円で、うち百五十円がホステスの取り分であった。客種はよく自民党の若い議員やその秘書、中小企業の社長たちがよくきた。

キャバレー「S」の客に有名な大企業のうだつのあがらぬ、Tという社員がいた。彼は源氏名を「亜稀」とか「美奈子」といった昭子の常連客になった。

彼女はTに「田中が帰ったばかりよ」ということがあった。そのうち、Tは彼女の部屋へ通うようになった。

半年ほどたって、Tと昭子は結婚し、彼女のアパートに住むことになった。戸籍では昭和二十九年八月になる。

結婚式は、田中土建の近くにある「大神宮」であげ、昭子の親代わりを自民党副幹事長・田中角栄がつとめた。髭をはやした角栄は、やたら扇子を使う人だと、Tは思った。

『淋しき越山会の女王』のこのような記述を読んでいると、狐につままれたような気分になるが、しばらくは、『決定版　私の田中角栄日記』に従うことにする。さわやかな風が吹きかよっているような内容で、気分がいい。

「昭和二十七年十二月一日（月）快晴のち曇
今日より初出勤。大手町で働くのが夢だったが、永田町に変わっただけと自分に言い聞かせる。他人に出来る事が私に出来ない訳はないと。

『骨を埋むる何ぞ墳墓の地を期せん
人間到る処《ところ》青山あり』

初仕事。選挙人名簿と年賀ハガキ一万枚を渡される。十日もあれば書けるだろうと、毛筆で書き始める」

こんな日記の行間には、懸命に生きていこうとする、若い女の影像がやどっている。

昭子は大井町のアパートから京浜東北線で有楽町に出て、三宅坂まで都電に乗り、七、八分歩いて議員会館へ出勤する。

議員会館は木造二階建てで、中庭のくさむらから蛇やヒキガエルが顔を出したという。

一万枚のハガキをようやく書きあげると、秘書の曳田照治が、

「オヤジが佐藤さんに、ハガキ書きを頼んだわけがわかったよ。達筆だものなあ」

とほめてくれたが、ほめられるとなおさら仕事がやりにくくなると、彼女は思った。

角栄は第一議員会館の二号館二一〇号室にいた。一〇四号室には、昭和二十七年の総選挙で初当選した、大平正芳がいた。

大平は明治四十三年三月十二日に、香川県三豊《みとよ》郡豊浜町で生まれた。角栄より八歳年上である。彼は高松高商から東京商科大学（現一橋大）を昭和十一年に卒業し、大蔵省に入った。

横浜税務署長のとき、東京税務監督局直税部長であった池田勇人に見込まれ、昭和二十四年に池田が大蔵大臣になると、秘書官に採用された。

角栄は、大平が香川二区から自由党公認で選挙に出ると、池田の後継者としての実力をそなえた彼のために、応援演説にかけつけた。

なみの応援ではない。自分の選挙区である新潟三区にいるときよりも、香川二区にいる時間のほうが、長かったといわれるほどであった。

田中は大平がいつかはかならず総理大臣になる人物であると、演説のなかで確言した。年の順からいって先輩の大平正芳が先に総理大臣になり、自分はその後をつぐと公言してはばから

ない、すさまじい自負心を隠さなかった。

大平は四万三千九十三票をとり、二位当選を果たした。角栄は、大平の資質を見抜いていた。また、ウマが合う相手であることを鋭敏に嗅《か》ぎわけている。

大平は、第一議員会館の一〇四号室にいた。角栄の二一〇号室に昭子がいると、大平がちょこちょこっときては、「兄貴いる？」とたずねてきた。

角栄と大平が一時間話をすると、五十五分は田中が縦横に語り、無口な大平は、五分間で田中の話を集約してみせた。

まったく性格のちがう二人は、親密な交誼をかさねることになる。


角栄は、昭和二十年代後半、道路三法と呼ばれる道路関係の立法に持ちまえの馬力をあらわした。道路三法とは、道路法、ガソリン税法（道路整備緊急措置法）、有料道路法（道路整備特別措置法）である。

戦後の日本にとって、道路の整備は緊急課題であった。

工業国家としての機能を発揮するために、絶対必要な道路が貧弱である。当時は、舗装道路がきわめてすくなかった。

半年を雪にとざされる新潟県に育った角栄には、道路の重要性が身にしみて分かっていた。

昭和二十七年四月、角栄は道路整備の体系を定める道路法案を、三人の議員立法で提案し、同六月に公布させた。

だが、道路整備の財源を捻出しなければならない。角栄は建設官僚で、のちに国土庁長官となり、参議院議員（田中派）となる井上孝に、調査を依頼した。

「アメリカでは、どのようにして広い国土を覆う道路網の整備財源を出しているんだ。調べてくれないか」

井上は京都大学土木科大学院の特別研究生であったが、昭和二十三年九月、内務省が解体され、新設された建設省に入省した第一期生である。彼がはじめて角栄に会ったのは、昭和二十五年十月に決まった、特定地域綜合開発計画の現地視察で、只見地域を担当したときであった。

特定地域綜合開発の目的は、治水と発電である。井上は国会議員の現地視察に随行した。

視察する福島県と新潟県の県境には、自動車の通れる道がなかった。

新潟県大湯温泉からは、標高一四〇〇メートル以上の高地へむかう。十六キロの山道を徒歩でゆく。

視察をおこなった国会議員は、角栄と日本共産党の砂間一良である。どちらも元気な若手である。角栄は地下足袋、ゲートルの足ごしらえで藁笠《わらがさ》をかぶり、疲れを知らない足どりで山道を登ってゆく。

活気のある人だと、井上は思った。

角栄の嗅覚《きゅうかく》は、井上を気の合う人物だと嗅ぎわけていた。山道を歩く途中、郷里を聞いてみると、満州で生まれ育ったが、性格は生粋の新潟県人である。

只見視察を終え、一年ほどたって、井上は角栄と省内で行きあった。たぶん忘れているだろうと思い、すれちがいかけると、

「おい、井上君。元気か」

角栄は一年前に会った井上の顔と名を覚えていた。

角栄はほかにも、視察当時の記憶を口にした。まもなく、井上は海外出張を命ぜられた。

田中の秘書という人物が突然あらわれ、封筒を渡した。

「田中からの餞別《せんべつ》です。遠慮なく使ってください」

金額は二十万円。当時の井上にとっては、予想もしない大金であった。

このような交流のある田中の頼みを、井上はすぐひきうけ、調べて報告した。

「アメリカでは、ガソリンの税金を、道路整備財源にあてています」

「そうか、それはいい考えだ」

角栄はＧＨＱの意向も、それを望んでいるのを打診すると、ただちに立法に着手しようとした。

だが、法案を成立させまいと、大蔵省が猛烈な反対をはじめた。ガソリン税法が通れば、予算を先取りされたことになり、大蔵官僚の権限が及ばなくなる。

「税金を特定の目的に使う特定財源は、政府の予算編成権を拘束することになり、憲法違反で

ある」

法律を提案した議員は二十六人であったが、衆議院の建設・大蔵審議会で答弁に立つのは、ほとんど角栄であった。

予算の編成権を拘束するという反対論をおさえるため、角栄はおもしろい抜け道を考えだした。

はじめに提出した法案は、つぎの通りであった。

「政府は当該年度の揮発油（ガソリン）税収入を、道路整備の財源等に計上しなければならない」

大蔵省の反対をかわすため、案文を一部変更した。

「政府は当該年度の揮発油税収入相当額以上を、道路整備の財源案に計上しなければならない」

ガソリン税を、直接に道路財源にむけるのではないので、目的税ではなくなる。

道路の財源にする金は、所得税であろうと法人税であろうと、間接税であろうと、どこから集めてもいい。その年のガソリン税に相当する分を、道路建設にまわす。

それはいいまわしの違いにすぎない。

ガソリン税相当額は、毎年道路財源になるのだが、いちおう大蔵省の権限を侵さない形式をとったことになる。

角栄はこの法律を五年間の時限立法として、自ら大蔵省と交渉した。

昭和二十七年の第十五回国会に提出されたこの法案は、衆議院を通過した。角栄は参議院建設・大蔵連合会で懸命に論じた。

「いままで表日本偏重の予算投下が長いあいだ続けられ、日本海側とか日本海側からの横断道路などが未改良のままになっている。これを整備しなければなりません」

だが、参議院で審議中、衆議院解散のため、廃案となった。

十月一日の総選挙にはトップ当選。得票六万二千七百八十八票であった。

昭和二十八年二月二十八日、吉田首相は衆議院予算委員会で、右派社会党西村栄一に「バカヤロー」と暴言をはき、三月十四日、野党三派提出の内閣不信任案を可決、衆議院解散。

四月十九日の総選挙で、角栄はトップ当選した。得票は六万四千九百四十九票。

ついに四選を果たした。

道路財源を確保する臨時措置法案は、建設大臣佐藤栄作の強力な後援を得て、昭和二十八年七月、成立した。

戦友を中心とする後援会の越山会が、加茂市で発足したのは、同年六月二十八日である。戦友の高野清治が語った。

「発足のきっかけは、田中がじきじきに会をつくってくれと頼んできたからだ。会名も指定してきた」

角栄は、佐藤昭子が議員会館に通勤するようになってから、それまでほとんど使わなかった二一〇号室に、毎日のように立ち寄るようになった。

角栄は夕方になると事務所に戻り、他人のいないとき昭子にその日の出来事を話しかけた。

吉田茂がこんなことをいったとか、佐藤栄作がこんな話をしていたとか、昭子が勤めはじめた日から、重要な話題でもうちあける。

国会便覧をパラパラめくりながら、

「あと二十年もたてば、これらの人たちはいなくなるな。俺は二十五年たてば永年勤続表彰で、黙ってたって少なくとも衆議院議長にはなれるよ」

といったことがあると、昭子は当時を回想している。

「三十代で大臣になり、四十代で幹事長、五十代で総理になる」

という、巷間《こうかん》に流布したような言葉を口にするような人柄ではなかったと佐藤は記す。

近年、後藤田正晴氏が、歴代総理大臣の評価をしたとき、田中角栄は特別の大器、異能の人であったと語っているのを、目にしたことがある。児玉隆也は、角栄の本質を『淋しき越山会の女王』で、鋭敏につかんでいる。

独学者の条理は、好きなもの、必要なものはやる。嫌いなもの、必要でないものはやらないに尽きるというのである。

福田赳夫、中曽根康弘らが弊衣破帽《へいいはぼう》の旧制高校生として、カントの原書を手にし、いかに生くべきかの、抽象世界の陶酔に身を浸し、大学を卒業して、高文をパスし官僚になったとき、角栄は官僚に頭をさげ注文をもらう土建屋であった。

三木、福田、大平、中曽根らは、抽象世界でともに生きた友が、全国にあるが、角栄はわが力のほかに頼るものもなく、人の心さえ金で買えるという世界に生きてゆく。その結果、敗戦後に二十代で、全国五十位以内の土建会社をもち、総裁選に献金した。

独学で待ったなしの人生を歩いた人間は自分と同質、亜流の人物を好まない。強烈な自負心が、激しい劣等感とうらはらにあらわれる。

児玉隆也は書く。

「だから、異質の飼い慣らされて訓練豊かな行政経験を授かった人間（官僚）の力を、彼ほど正確に評価し、利用する人間はいない」

「彼は、福田や三木の〝かくあるべき〟にとらわれない。〝こうある。これをどうするか〟と考える現場処理の天才である。彼はもっとも日本的な政治家と評されるが、彼ほど〝ニコポン〟にほど遠い政治家はいない」

角栄は、自分の置かれた立場を正確に理解し、一瞬のためらいもなく目標を見さだめ前進する、徹底したリアリストであった。

彼の触覚が乾燥した闘争の場である人生において、安息を求めうる相手として、地縁につながる昭子をえらんだのであろう。

「青春時代を抽象の世界に遊んだ人種は、時に弱みを見せることで、かえって人間性を感じさせるものだ。

だが現実一本槍の人生を歩んだ田中は、他人に弱みや孤独を訴えた瞬間に、神話が崩壊する」と児玉隆也は述べている。

計算ずくの乾燥しきった現実に耐えるには、孤独のいたみを癒《いや》しあう仲間がいる。

角栄が求めたのは、太陽の反射をしらじらとたたえた海のむこうに、佐渡島が横たわる柏崎のよろず屋の昭ちゃんと呼ばれて育った女性であった。

彼女は「月見草」の歌が好きだという。

〽夕霧こめし草山に

　ほのかに咲きぬ黄なる花

昭子は秘書になってすぐ、角栄が非凡な実力の持ち主であると感じたという。

若い角栄を軽く扱う者がいなかったからである。

事務次官室に電話をかければ、応対はていねいである。

昭子が陳情団を連れ、本会議や委員会の傍聴に案内するとき、自由党本部では、議員一人につき一枚ときめられている本会議の傍聴券を、

「田中先生ですか。何枚でもどうぞ」

と出してくれた。

角栄はすでに、住宅、道路、国土開発に関する議員立法を三十三本も成立させ、その実力を高く認められていた。

角栄は、代議士たちの器量を見抜く、するどい感覚をそなえていた。

昭子が電話をかけ、留守であった代議士に「すぐ電話をいただきたいとだけいいなさい」と角栄はいった。

五分もたたないうちに電話をかけてくるという、言葉の通りに電話はかかってきた。

角栄は口紅や化粧が大嫌いで、昭子が口紅をつけていると、

「何だっ、まるで人食い人種みたいじゃないか。さっさと口紅を取れ。俺は口紅なんかつけた女は大嫌いだ！」

と怒りだし、おしぼりを投げつけたことがあるという。

大下英治著『宰相・田中角栄と歩んだ女《ひと》』によれば、昭子は身長一五七センチ、バストは九七センチ、ウエスト五八センチ、ヒップ九五センチほどであった。

めったにみかけない、蜂のような体形である。後年、田中はなにかのインタビューで語った。

「私は、恋人と待ち合わせたとき、もし彼女が一分でも遅れれば、帰ってしまった」

しかし、昭子の知人によると、田中は昭子だけは例外で、何分待たされようと、いつまでも待ちつづけたという。

只見

角栄が、奥只見、田子倉、五味沢の三カ所に総計十億トンのダムをつくり、百七万キロワットを発電する一方、農業用水にも利用するという、新潟県知事岡田正平の、只見川分流案に協力していたことは、前にも述べた。

敗戦後、昭和二十年代の産業界は、深刻な電力不足に悩んでいた。筆者は昭和二十六年に化学肥料会社に入社したが、その年、主力工場に一億二千万円を投じ、自家発電装置を設けたのを覚えている。

いまでもその金額を覚えているのは、会社の資本金と同額であったためである。

只見川は、福島・新潟の県境にある尾瀬沼を水源とし、県境の峡谷を伝い会津盆地で阿賀野川に合流し、新潟県に入って日本海に流れこむ。

福島県は、只見川に階段式ダムをつくり、百九十五万キロワットの発電を計画したが、岡田新潟県知事は、これに正面から反対する計画をおし進めようとした。

福島県の計画は本流案と呼ばれ、東北電力が同調し、新潟県の計画は分流案と呼ばれ、東京電力が力を貸している。

昭和二十六年五月、電気事業を管轄する、公益事業委員会の外郭団体、電源開発調査委員会が、現地調査をおこない、流域変更（新潟）案が優位という見解を発表した。

福島側は、さっそく猛烈な反対運動をおこす。

両県からの突きあげに困りきった公益委は、アメリカのＯＣＩ（海外技術調査団）に、調査を依頼した。

ＯＣＩははじめから本流案に好意をあらわし、二十六年末には、本流案実施を裏づける、只見川水系の柳津《やないづ》・片門《かたかど》発電所が着工された。

本流案をとるか、分流案を再検討するか、中央政界の意向をも二分する騒動になってきた。

只見川開発は、一千二百億円といわれる、当時の超大型事業である。奥只見は、角栄の選挙区の新潟三区であった。

事業獲得に、角栄は味方の陣頭に立ち、大活躍をした。

転んでもただでは起きないつもりである。

福島側は、吉田茂が応援する東北電力会長白洲次郎と農相広川弘禅《こうぜん》。新潟側は岡田と親しい大野伴睦、石橋湛山を味方にしている。

新潟県議団も、くりかえし陳情に上京した。

秘書課長であった前田実は、のちに語っている。

「あれは県民ぐるみの運動をアピールするもので、真の戦いは別にあった」(新潟日報)

反吉田人脈でゆさぶりをかけるいっぽう、吉田総理の気持ちをひきよせるのが勝負であった
という。

岡田知事は、吉田首相が新潟を訪れたとき、地元の料亭鍋茶屋で歓待し、吉田は岡田と肝胆あい照らし、新潟滞在の予定を一日延ばしたほどであった。

反吉田の人脈で揺さぶるいっぽう、総理の気持ちを引き寄せるのが、岡田知事のしかけた勝負であった。

角栄は新潟四区の塚田十一郎、二区の渡辺良夫とともに、御三家と呼ばれる地元代議士として、岡田の意を汲んで動いた。

只見川プロジェクトの巨大な工事費の幾割かが地元をうるおせば、運動は成功したことになると、角栄は見ていた。

のちに吉田十三人衆のひとりとなる田中は、吉田攻略への努力をつづけるとともに、只見の諸町村をしばしばおとずれた。

元湯之谷村村長、米山重良は、田中の精力的な姿を印象にとどめていた。

「田中は何度も現地歩いたこっつぉ。ある夏にも政府調査委の一員としてやってきたが、田中は元気が余ってる感じだった。

二十七年選挙でも、分流案でやる人だといってたが、ホントにできるんかな、と一般のモン

は思ってた」

只見川抗争はさらにつづき、しだいに〝ただ飲み川〟の様相を示す。（新潟日報社編『ザ・越山会』より）

初代民選知事の岡田は、戦前の官選知事とちがい、「融通のきく」人物であった。

岡田は中央のお偉方がくると、鍋茶屋で派手な宴会をひらく。彼は酒宴のとりもちが苦手な副知事の野坂相如にいったという。

「新潟は中央で認識されてないんだ。東京から人が来たら、鍋茶屋に連れてって、俺と君で中央に印象を与えることが大事なんだ。小唄でも小ばなしでも、やらんきゃだめだぞ」

岡田は生まじめな部長の股間をすれちがいざまに撫で、「オイ、元気か」という。

このような岡田がおし進める、只見川分流運動は、当然派手なものになった。中央から視察団がくれば、北魚沼郡湯之谷村、大湯温泉などで、連日の宴会ぜめである。

角栄は独特の経済感覚を持っていた。金権とはちがって、この運動をおこなえば、地元に金が落ち、役にたつという、商人の感覚である。

土建屋は「段取り八分」といわれた。仕事をするために、段取りを八割がたつければ、まだ着手していない仕事は、終わったも同然というのである。

土建業者の頃の角栄の段取りのやりかたは、相手がうんというまで酒を飲ませ、自分は飲まない。相手がぐでんぐでんになったところを見はからい、ねじ伏せてしまうという、荒っぽいものであったといわれている。

中央視察団の接待で、岡田知事らが費消した宴会費は、莫大であった。

社会党県議の小林寅次の回想では、

「一年間に四千万円も飲んだがーて。議会で、只見川の飲食費資料持ってこい、といったら、出納長がリヤカー二台分も持ってきた。芸者買って何が食糧費だと追及すると、総務部長が、三味線の音がすると消化にいいので、食糧費だ、などと答弁した」

岡田の秘書課長は、「一億も二億も使ったといわれたが、県のカネはせいぜい二千万円程度。電力会社や財界の寄付で、大半はまかなった」という。膨大な金が消えたのは事実だった。

角栄は岡田のために奮闘した。

奥只見騒動で、懐が豊かになってくる。秘書を連れ、ほうぼうの町や村へでかけ、新潟県が勝てば、おどろくような金が地元へ落ちると大言壮語すれば、町や村は交際費からまとまった金を捻出してくれる。

小林県議はふたたび回想する。

「とにかくバカ騒ぎしてた。あるときなんか、岡田が行司役になり、田中と三区内のある県議が、男のシンボルの大きさくらべをしてたがらて」

資金不足で懐のさみしかった角栄は、政治交渉の裏面で、多額の資金が動く実態を、はじめて体験した。

昭和二十七年六月、ＯＣＩが一億円近い費用を投じた調査結果を、本流案優位として政府に報告した。

本流案は、分流案よりもコストが安く、合理的な開発ができる。本流案の技術資料は完備しているのに対し、分流案は資料がととのっていない、という結論である。

だが公益事業委員会の委員長代理松永安左衛門は、分流論に賛成し、「ＯＣＩ報告は参考意見である」と無視しようとした。

東北電力会長白洲次郎は、東京電力が保有していた、上田《うわだ》・本名《ほんな》地区の水利権を、東北電力に移譲し、発電所建設を認めてほしいと、吉田首相（当時）にはたらきかける。

角栄は自由党新潟県議団を動かし、県会議長西川弥平治以下二十八人の県議が、自由党幹部に脱党届をつきつける騒ぎがおこった。

同年八月三日付新潟日報は、「田中発言が導火線」と見出しを立て、報道した。

「田中代議士は（上京県議団を前に）次のように語った。

経済安定本部は二十七年度開発地点として本名・田子倉の二カ所を挙げ、四十億円の予算代も済んでいる。これに対し分流案は調査費一億のみ。ケンコンイッテキの猛運動が必要だ。慌てた県会側は『脱党も』とハラを決めた」

東京電力が保有していた本名・上田の水利権が、八月四日に東北電力に移管されたので、一週間後、角栄は新潟四区選出代議士で、何事にも紛争をおこすことで有名な田中彰治をともない、自由党総務会長の益谷秀次に会い、激しく交渉した。

「これは、おろそかに扱えば、総理の政治生命にもかかわりかねない、大問題ですよ」

益谷は角栄らと会った当日のうちに奥只見から信濃川水系に三割から三割五分の分水をすると言明したが、福島県側の抗議でたちまち前言を撤回した。

改進党、社会党ら野党は、吉田首相と白洲次郎東北電力会長との交渉に汚職の疑いを抱きはじめたが、八月二十八日、吉田は自由党内反吉田派の動きに先手をうち、抜き打ち解散をしたので、分水問題は先送りになった。

只見川政争が決着したのは、昭和二十八年七月二十八日であった。

吉田首相は、新潟県知事岡田正平と福島県知事大竹作摩を呼び、申し渡した。

「いろいろといい分はあるだろうが、これで我慢してくれよ」

岡田は即座に答えた。

「総理、不満ではありますが、仲裁は時の氏神と申します。手を打ちましょう」

岡田は、かろうじて面目を保つ様子をしてみせたが、内心ではよろこんだ。県議団にも明るさがみなぎった。

政府案は、

「本流開発を根幹とし、奥只見から毎秒最大十トン、年間七千三百万トンを、信濃川水系黒又《くろまた》川に分水する」というものである。

大竹は分水を拒みたかったが、結局は応じた。東北電力側は、分水が只見川流量の五・六％、小便水にすぎないと、交渉の結果に満足した。

政府が出資する電源開発会社は、昭和二十九年から工事にとりかかった。湯之谷村村長は、予想をはるかにうわまわる、大規模な工事におどろくばかりであった。

「小出の資材基地から奥只見まで、道を切るのが、まずの仕事だった。トンネルばっかの道路で、雪の中でも車が走れるのにはびっくりした」

奥只見ダムは、高さ百五十七メートルのコンクリート壁を築き、貯水量四億五千八百万トンのわが国最大の人造湖になる予定であった。

上越線小出駅から、湯之谷村の大湯まで、十キロメートルの直線道路を設け、そこから電力開発公社専用の、二十二キロメートルの道路をつける。

専用道路のうち、十八キロメートルがトンネルであった。

奥只見には、現場宿舎の煙突が林立し、労務者は最盛期には七千人に達した。地元に金を落とす角栄の狙いは的中した。

農業のほかに産業のなかった北魚沼郡に土建屋ができた。電源開発専用道路工事につづく、黒又川発電所工事によって、付近の農民は競って大手の下働きで土木作業員をはじめ、その後独立して業者になった。

公共事業は、指名を受けなければ入札に参加できない。指名業者が角栄の息のかかった者ばかりであれば、当然談合入札になる。

工事がはじまると、生コン屋、電気屋、砂利屋、鉄工所ができて、米屋、酒屋までにぎわう。入広瀬村には黒又川が流れている。第一、第二ダムができて、発電所が稼動しはじめた。只見川工事によって、長岡鉄道も経営改善を早めることができた。工事骨材としての砂利売上高は、独占販売の実績を確保し、昭和二十九年度は前期比二五〇%を記録した。

角栄が東京目白台の私邸四百九十坪を購入したのは、昭和二十八年八月であった。彼に金銭の余裕がでてきたのは、昭和二十七年ころ、只見川政争がたけなわになったころからであるという。角栄はその年の秋、自由党総務になった。

年老いた越山会員のひとりが「只見」以前を振り返っていった。

「田中がはじめ住んでいた牛込南本町の家は、洋館風で立派だったが、引っ越すたびに貧相になった。

飯田橋、市谷の家は掘っ立て小屋みたいだった。床も傾いておったぞ」

資金面では、田中土建が左前になって以来、苦労の連続であったという。

角栄は、只見川政争で活躍しつつ、選挙区の住民の心をつかむ仕事をつぎつぎと成功させてゆく。

魚沼線（来迎寺—西小千谷、十二・六キロ）を復活させたのは、昭和二十九年であった。

魚沼線は昭和十九年十月、聖戦遂行のためという名目でレールを外され、中国大陸に運び去られた。

当時、沿線の町村にとって、鉄道の有無は死活問題であった。三島郡片貝町（現小千谷市）は、駄菓子や桐材を出荷している。

昭和二十三年、町長となった小林文雄は、枕木を地元で供出するという条件で、国鉄と知事にかけあい、来迎寺—片貝間を片貝町経営の貨車線として復活させた。

小林町長は、長鉄社長に就任して電化に腐心している角栄に要請した。

「俺は三島郡町村会長として、長鉄電化に協力する。だから魚沼線復活に協力してくれ」

昭和二十七年度、魚沼線復活の予算がつき、二十九年八月に全線が開通した。

角栄は政治基盤を拡大するとともに、長鉄砂利部門の売り上げをふやした。

三十五歳で四回当選を果たし、自由党総務である角栄の前途は、選挙地盤さえゆるぎなければ、どこまでひらけてゆくか分からなかった。彼の都市部での得票率は、あいかわらずふるわなかったが、農村での票は着実に伸びていた。

新潟の政治家は、金持ちの旦那衆が多く、彼らは郡部の不便な町村をめぐり歩くよりも、長岡、三条、栃尾などの都市部で、まとまった票を得ていた。

新潟の農民は、浄土真宗の門徒が多く、江戸時代から圧制な領主に対する反抗をくりかえしてきた。獄門、死罪、島流しの刑罰をおそれず、幕府評定所《ひょうじょうしょ》に直訴《じきそ》をくりかえし、目的を達成するため、十年でも二十年でも挫折しなかった。

角栄は、雪深い農村で地主の搾取に堪えてきた、小作農たちの怨念の代弁者として、あたらしい時代の風を、辺境のすみずみまで導く、有能な住民代表であった。

新潟の町村長にとって、角栄は重宝このうえない代議士であった。彼は身辺を飾らず、二田村の牛馬商の息子として、陳情者に何の気兼ねもさせない雰囲気を、四選代議士になっても保っている。

かつて北魚沼郡小出町長をつとめた大平堤司は、はじめて目白の田中邸をおとずれたときの印象を語った。

「田中はざっくばらんで、まことにお願いしやすい感じだった。話を聞いて即座に、できる、とか、むずかしいなあ、といってくれるのもありがたかった。私は役人は怖くねえが、あんたら地元の人がいちばん怖い、といっていた。

地元に陳情の門戸をひらいて、さあいらっしゃいの感じだ。目白は大にぎわいだった」

角栄はいつも机上に紙片と赤鉛筆を置いていて、陳情者の話を聞きながら、図面などをスケッチするように書いた。

「それを下さい」というと、「いや、これはな」とかいってまるめて捨てた。

新潟県の地図は、県境の凹凸の線まで実にきれいにそらで書けるほど、地形を頭にたたきこんでいた。

北魚沼郡入広瀬村で、昭和二十六年から六期村長をつとめた佐藤宏は、村長になってまもないある日、まえぶれもなくたずねてきた角栄と、はじめて会った。

角栄は、いきなり佐藤に聞いた。

「あんたがいちばんやりたい仕事は、なんだ」

入広瀬村民の夢は、どんづまりから解放されることである。佐藤はすぐに応じた。

「福島県へ通じる道路です。只見線全通と六十里越《いかりごえ》に車を通すことです」

角栄は佐藤に案内させ、福島県境へむかった。

只見線の小出—只見間四六・八キロは、昭和十年に起工されたが、日中戦争が拡大してきたため、昭和十二年に中断した。

その後、戦略物資輸送に用いるため、小出—大白川の間は工事が再開、十七年に同区間だけが開通した。

角栄は草が生い茂った只見線の道床に立ち、錆《さ》びついた橋脚を眺めながら、佐藤たち随行の人々に語った。

「これをこのまま放置しておくことはできねえでソ。なんとかしてもこの鉄道をつくらにゃならん。道は抜かんきゃだめだ。鉄道と道路をむすび、交流することで地域は発展するんだ」

奥只見の電源開発が実現することになった昭和二十八年、会津線（現只見線）の会津宮下―会津川口間が営業を開始した。

さらに会津川口―只見間が、電発田子倉発電所建設の、資材輸送線として建設されることになった。

この年、新潟県内の関係町村は、小出只見線全通期成同盟会を結成した。

角栄は栃尾市と長岡市の境界にある、標高四一〇メートルの森立峠を通過する県道北荷頃《きたにごろ》―長岡線の、幅四メートルに足りない、徒歩でしか通れない路面の改修にも努力した。その結果、はじめて栃尾市に選挙地盤をひろげた。

南魚沼郡魚野川西部の広大な原野に、川から水路をつけ、水利の悪い地帯を美田に変える工事の実施を促進したのも、角栄であった。農林省から予算をとり、昭和三十一年には開墾工事をはじめるまでにこぎつけた。

南魚沼郡六日町の革新系町長となった岩野良平は、その頃から足しげく目白へ陳情に通った。

越山会員のうちでは、

「なんで革新町長のいうことなんか聞くんだ」

と怒る者もいたが、角栄は彼らの不満をおさえた。

「岩野のためにしてやるんじゃねえ。六日町の町長のためにしてやるんだ」

角栄は、秘書曳田照治を連れ、足しげく地元をめぐり、他の代議士の地盤の住民たちの便宜もはかった。越山会への新規加入者は、ふえるばかりであった。

角栄は一年のうちなかばは雪害をうけ、新潟県でも開発のもっとも遅れた新潟三区を発展させるために、全力を傾けた。そうすることが、彼の政治基盤をかため、実力を貯えることになった。

昔は山を越えて町へ出るのに一日がかりであったが、角栄がトンネルを掘ったので、十五分でゆけるようになった、という話がある。

峠道とか、橋が架かっていないため、川沿いに一日も迂回した不便な村が、いくらもあった。豪雪の季節には、重病人は家族、親戚が総出でソリにのせて曳いてゆく。ソリも動かせない吹雪のときには、医師の手当てをうけられないまま息をひきとる病人が、めずらしくなかった。

地元の住民は、角栄の恩を忘れない。

東京の官僚は、数十億円の経費でかけ橋を架けるのであれば、利用者は最低何十万人が必要であるという。

角栄はそのような官僚の考えを打ちくだいた。

「トンネルの利用者が百五十人しかいなくても、その人たちに欠かせないものならば、億単位の金をつぎこみ、トンネルをつけるのが政治だ。橋を架けるのも同様だ。

都会ではトンネル一本、橋一本が地域住民の生活の明暗を左右するようなことはない。橋一本の重みが、都会と三区ではまったく違うのだということを、君たちは考えたことがあるか」

現在とはちがう、社会福祉のゆきとどかなかった貧しい時代である。

県に陳情にいっても相手になってくれない問題を、目白の田中邸にゆけば、とりあげてくれた。

実現の可能性が五〇％のものが、八〇％、九〇％になってゆく。

県内の公共事業は、角栄に頼めばできないことはないという。

信頼関係が、角栄と三区の市町村長のあいだにできあがってきた。

角栄は、公共事業を頼まれると、

「これはできる、それは三年後、そっちは五年後だ」

とはっきりいった。

そういうところが、深い信頼をつないだ。

東京の議員会館では、佐藤昭子が角栄の活動を支えていた。

二人の心のつながりは深い。だが、なぜ昭子は自民党副幹事長となった角栄を親がわりとして、昭和二十九年八月に、Tという取柄《とりえ》のない会社員と結婚したのか。

佐藤昭子の日記に拠る。

「昭和二十八年十月二十三日（金）曇
建設委員会の理事だった田中は、先進国の道路整備と都市計画を視察するため、初めて海外に出かけた。その頃の外遊など、とても後で考えられる程容易ではなかった。何しろ外貨は五百ドルしか持ち出せない時代である」

昭子は昔はやった小さな南京虫の時計をもらった。角栄からもらった最初で最後のプレゼントだという。

Tという某大企業のうだつのあがらない社員とは、その頃キャバレー「S」でつきあっていたと、『淋しき越山会の女王』に書かれている。

それが事実だとすると、昭子は昼間は議員会館で勤務し、夜はキャバレーに勤めていたことになる。これはどちらかの記憶違いであろうか。

Tが昭子のアパートをたずねると、部屋に夏祭りの浴衣を着た男の子の写真が飾ってあったという。Tが昭子と結婚したのは、アパートをたずねるようになってから半年後である。

児玉によると昭子は結婚後もホステスの仕事をつづけたらしい。彼女は家にいても「田中が、田中が」と呼びすてにしていたという。

角栄の身近にいる昭子は、彼の心の支えになっていたようだ。それがなぜ他の男と結婚し、角栄を親がわりにして結婚式に出席させたのか。角栄は式場でやたらと扇子を使っていたそうである。

昭子の結婚は、昭和二十五年に角栄が身請けした神楽坂「金梅」の芸妓・辻和子の存在があったためではないだろうか。

上杉隆著『田中眞紀子の恩讐』によれば、角栄は身請けした年、和子とのあいだに長女をもうけたが、夭折《ようせつ》し、翌年、男児を得た。

神楽坂通りは、午前中は坂のうえから外堀にむけ、午後は坂の下から毘沙門天として知られている坂上の善国寺のほうへむけ、逆転式一方通行になっている。

そうした理由は、午前中は都心にゆく車が多く、午後は新宿にゆく車が多くなるためとされている。

だが、実際には角栄が目白の自邸から国会へむかうときも、辻和子の家に立ち寄るときも便利なように、このような通行方式に変えさせたのだという。

筆者も神楽坂の鰻屋へいったとき、おなじような話を耳にした。

角栄は艶福家《えんぷくか》であった。

乾燥した権謀術数の世界で生きている角栄は、かたときも気をゆるすときがない。身内につみかさなる疲労を癒してくれる、優しい女性の傍にいると、また気力をとりもどす。刑務所の塀のうえを歩き、その内側に落ちるか否か、運を天にまかすほどのきわどい芸当をもあえて試みなければ、政界で頭角をあらわす実力者にはなりにくい。

新潟三区選出の社会党代議士・小林進は、つぎのように語ったという。

「田中は町村長が運動費を持ってくると、その場で封を切った。たしかに全額受けとった。でもあんたも足代や宿賃はかかるだろうといって、一割程度返すんだよ。これで町村長は参ってしまう。地元に帰ると、田中はすごい、と宣伝した。田中と運命共同体になったんだ」

角栄は、金の噂を身辺につきまとわせつつ、中央政界で確固とした地歩を占めてゆく。

二十年代の後半、湯沢町町長であった高橋藤三郎は、国道十七号線の三国トンネル予算が削られそうになり、目白へ飛んでいった。

角栄は話を聞くと、すぐ池田蔵相に電話をかけ、「池田、約束が違うじゃないか」とどなったので、高橋らはびっくりしたという。

理研在職中に角栄を支援した大橋次郎は、秋田県営製材所長に転職したが、製材の販売でトラブルがおこり、解決に助力を依頼した。角栄は同期であった根本龍太郎農林大臣に電話をかけ、呼びつけて、大橋をおどろかせた。

角栄は田中土建が社業不振に陥るまえの昭和二十年代初期に、何人もの代議士の政治資金の面倒を見て、恩を売っていたといわれる。その実績が、しだいにあらわれてきた。

角栄の提案した道路三法のうち、最後の有料道路法が成立したのは、昭和三十一年であった。

角栄が、大蔵省の反対を押しきった実力は、政・官いずれの側からも認められていた。参院連合会で大蔵側委員が、建設省の予算折衝の手助けをする法律にすぎないように思うと質問すると、角栄は猛然と反発した。

「建設省のためというような、甘い考えは持っておりません。日本の産業の根本的な再興をするためには、道路整備以外にはない。最終的には国土計画が、大蔵省の一元的な考えかたで、やられることが多い」

当時、衆院建設委員長であった久野忠治（愛知県選出）は語った。

「誰も大蔵省の首に鈴をつけられなかったのに、田中はがんばったわなあ。むずかしい局面になると大蔵省に乗りこみ、若手実務者に、日本再建の基礎は道路だと、一人ずつ説得していった」

郵政大臣

昭和二十九年十二月七日、吉田内閣は総辞職。十日に鳩山内閣が発足した。
「吉田が倒れるとき、田中は吉田十三人衆の末席につらなっていた。鳩山政権のもとで、佐藤栄作は吉田に殉じて冷や飯時代をむかえる。

この失意のときに、田中は佐藤と結びつく」(元東海大教授・内田健三＝五十嵐暁郎・新潟日報報道部著『田中角栄、ロンググッドバイ』から)

佐藤は当時、「早耳の栄作」と呼ばれていた。党内情勢に精通していたためである。その情報源は、角栄であった。

昭和三十年二月二十七日の総選挙で、角栄は二位当選し五万五千二百四十二票を獲得した。

当選五回の角栄は、衆議院商工委員長となったが、九月二日に長岡鉄道不正事件で、長岡署が長鉄本社などを捜索した。

事件は一千百万円の裏金をつくった長鉄幹部が、市会議員に賄賂《わいろ》を贈ったことが発覚。特別背任、業務上横領容疑であいついで逮捕された。

社長の角栄も特別背任容疑で、十二月に書類送検された。その直前の十一月十五日に、保守合同で自由民主党が発足していたので、角栄に対する追及の手がゆるめられ、取締り不行届きの書類送検ですんだ。

保守合同ではなく分裂しておれば、反対派は長鉄問題を見逃さなかったであろう。

失脚の危機をあやうくまぬがれた角栄は、その後、幸運の一途を辿《たど》ってゆく。

吉田茂のあとを継いだ鳩山一郎が、病気のため政界を引退したのち、自民党総裁選挙がおこなわれ、七票差で岸信介に勝った石橋湛山が、昭和三十一年末、石橋内閣を発足させた。

だが石橋も病いに倒れ、翌三十二年二月、岸信介に政権を譲った。岸は内閣をうけついだとき、閣僚をほとんど替えなかったが、五カ月後に内閣の大幅改造をおこなった。

このとき角栄は郵政大臣に就任した。三十九歳であった。越山会員のひとりは語る。

「目白は支持者であふれかえっておったの。田中の母堂（フメ）が、オラのアニが、皆さんのおかげで大臣にしてもらって、とうれしそうにあいさつしてたがあだ」

自民党佐藤派から入閣した角栄は、昭和三十二年七月十一日、郵政大臣として初登庁した。

正面玄関に入ろうとして、角栄は「郵政省」の看板の左手に、「全逓信労働組合」の大きな看板がかかっているのを見咎めた。

「大家よりでかい看板を出すやつがいるか」

角栄はその場で看板をはずさせた。

角栄は官僚にとって、歴代の大臣のようにくみしやすい相手ではなかった。大臣室におとなしく収まっているような性格ではない。

就任して間もないある日の昼休み、角栄は文書課長だけを連れ、屋上へあがった。辺りの景色を眺めるうち、突然いいだした。

「おい、下を回ってみようや」

省内の大臣巡視は、職員にあらかじめ予告しておこなうのが慣例である。

文書課長は狼狽《ろうばい》した。省内の様子は、見ないでも分かりきっている。角栄は各部課を巡視しはじめた。

机に足をあげた、だらしない格好で部下と雑談している局長が、飛びあがった。マージャンをはじめていた職員たちが、棒立ちになる。

「そのまま、そのまま」

角栄は無表情で彼らのまえを通りすぎた。

彼は大臣室に戻ると、文書課長にいった。

「昼休みだから、何事も一切不問に附するが、だらけかたも相当なものだな」

省内の事情を把握することも、「早耳の栄作」に情報を提供しつづけてきた角栄には、たやすい。

職員たちは、二大派閥に分かれていた。派閥の首領である二人の局長のもとに、中ボス、小ボスと芋蔓《いもづる》式につながっており、どちらかの閥につながっておれば、役人勤めは平穏である。

彼らは、大臣が頭上にしばらくとどまり、やがて去ってゆく流れ雲のようなものであると思っていた。

だが、その予想ははずれ、角栄は矢継ぎばやに手を打ってきた。省内に勢力の根を張っていた二人の局長は、十月の人事異動で、ともに勇退させられた。

三十九歳の大臣は、就任当初の全職員に対する挨拶のとき、自ら謙遜《けんそん》した。

「私はまだ年も若い未熟者である。有能かつ老練な前大臣のようにはゆかないが、なんでもやる使いがいのある男だから、今後の業績を見ていてくれ」

だが、小野事務次官は、角栄が異能の持ち主であることを、すぐに理解した。

小野は、昭和三十一年九月、村上勇大臣のとき次官に就任し、その後平井太郎につかえた。

三人めにつかえる角栄は、用ができると、自分から次官室へ出向いてきた。

それまでの大臣は、大臣室へ次官を呼び寄せたが、角栄はそのような格式ばったふるまいは一切しない。

前任の大臣たちには、省務の説明をおえるのに一カ月をかけたが、角栄は一週間もかからなかった。小野はほとんど口をひらかないでもいい。

角栄が省務の問題点を調べあげていて、小野に質問をする。それに答えるだけでよかった。

角栄は大臣になって一カ月ほど経って、本省課長級以上五十八人ほどを集め、慰労会兼新任パーティーをおこなった。そのとき出席者全員に、越後ちぢみの浴衣地一反ずつを贈った。

本来ならば、小野次官らが先んじて気配りをしなければならない。そのような配慮は、秘書・佐藤昭子との呼吸の合った間柄から生まれるものであった。

佐藤昭子著『決定版　私の田中角栄日記』には、昭和三十二年七月十日の項に書かれている。

「念願の郵政大臣就任。いつも組閣のたびに官邸のテント村を横目に通り過ぎていたが、今日現実となる。（中略）

戦後最年少の大臣誕生。山積する問題を控えて大変だろうが、田中の事だから何とか無事責任を果してくれるだろう」

昭子はそのとき、臨月であった。三十一歳の昭子は、日記に記す。

「昭和三十二年八月九日（金）曇のち晴
女子出産。敦子《あつこ》と命名。二千四百グラム。小さく産んで大きく育てろと昔の人曰《いわ》く。

田中より役所の方は秘書官もいるし心配なし、充分静養するようにと電話。この娘の将来の運命や如何《いかん》。幸あれと祈る」

昭子は角栄の秘書になったあと、なぜ二度めの結婚をしたのか、自分でもよく分からないところがあると「日記」に記している。

一流企業のサラリーマンである夫は、毎日接待だ、ゴルフだと遊んでばかりいるが、給料は安かった。

夫は会社の同僚を家に連れてきて、

「俺は女房の扶養家族だ」

と平気でいうような男であった。

「家を出ていってちょうだい」

昭子は最初の夫にいわれたセリフを今度は自分からいうことになった。

角栄はいつでも裸で出てこいといったが、踏みきることができなかったと、昭子は述懐している。

夫との生活は完全に破綻《はたん》していた。もはや何のつながりもなかったというが、離婚に踏みきったのは、児玉隆也著『淋しき越山会の女王』によれば、昭和二十九年の結婚から八年めである。

だらしない男と気丈な女のあいだでは、そのような例はよくあることだ。まったく他人の間柄になっても、頼られるとなんとなく追い出せなくなってしまうのである。

昭子の友人の話では、昭和二十九年から三十七年までの彼女のアルバムから、Tの写真はすべてはがされているそうである。

昭子は「日記」でいう。

「将来ある政治家に認知を求めるつもりはなかった。向こうから言ってきてもお断わりしただろう」

昭子の告白には、濃密な角栄への感情がこもっている。

彼女の生きかたは複雑に屈折しているが、心の深いあたりで角栄とむすびあう情愛があった。

昭子は記している。

「戸籍はどうあれ、娘は小さい時から田中を『お父ちゃま』と言ったり、『オヤジ』と呼んで育ってきた。田中も娘をかわいがった。外遊しても私にはハガキひとつ出さない田中が、娘には必ず手紙を書いた。

〈合宿はすみましたか。夏のうちに運動し太陽の光線でヒフを焼いておくと、へんとう腺《せん》も出なくなります。『ワシントン』は暑い。ニューヨーク、シカゴ、サンフランシスコを廻って六日にはかへります。元気にべんきょうして下さい〉

差し出し人が『父より』と書かれていることもあれば、『Fより』となっていたこともあった」

昭子は娘を出産して四カ月後に、角栄から秘書に復帰してほしいと電話をうけた。酒豪であった秘書の曳田照治が、急死したのである。

昭子は昭和三十三年の年が明けて、議員会館へひさしぶりに出勤して角栄に会うと、ひと回りもふた回りも大きくなったと感じた。

大臣の椅子につくと、大臣の貫禄が出てくる。男とは変わるものだと、昭子は心中に畏敬《いけい》の念を覚えた。

ＮＨＫの人気番組であった「三つの歌」にゲスト出演し、アナウンサーに誘われ、浪花節を唸った。「賭場《とば》に小判が乱れ飛ぶ」という文句が、国会で問題となった。大臣が博打《ばくち》を礼賛するのかと、詰問されたのである。

ニッポン放送の「十七万円の質問」のゲスト、ＮＨＫの「年忘れ紅白歌合戦」に審査員として出る。

「大臣どうですか？」

と聞かれて、「男性軍の方がニジョマル（二重丸）ですな」と答えたと、佐藤昭子は記す。

角栄はテレビ出演を頼まれると気軽く引きうけ、回数をかさねるうちに、たちまち全国に顔が売れた。

角栄は昭子にいった。

「自分の考え方や政策を広く国民に訴えるために、マスコミは大いに利用した方がいい。毎日毎日、日本中を辻説法して歩いても、テレビにははるかに及ばない」

田中事務所にいるのは、昭子と角栄のほかに車を運転していた、角栄の従兄弟の利男だけであった。角栄は利男を身内の心安さから、よくどなりつけるので、議員会館にあまり顔を見せない。

代議士一人に秘書一人。角栄は昭子が頼りであった。

「全部おまえに任せる」

昭和三十二年十月、人事異動で大阪郵政局長から郵政省の経理局長になった西村尚治は、明治四十四年生まれ、角栄より七歳年上であった。

東大法学部卒業後、逓信省に入省したのち、逸材として知られた西村は、角栄に会うまで、不安感を抱いていた。

三十九歳の角栄は、インテリではない。西村と共通した生活体験を持たない土建屋あがりである。抜群の政治感覚の持ち主であることは、知れわたっているが、直接仕える上司として、肌があうのかどうか、見当がつかない。官僚の心を把握し、指揮してゆく能力がどれほどあるだろう。

だが、角栄に会っておどろく。

三十九歳とは信じられないと、西村はわが目を疑った。十歳は年上に見える。ふけているというのではなく、悠然とした風格がある。言葉をかわせば無駄な表現がまったくなく、物事の要点をついてくる。

後藤田正晴も、国家地方警察本部警備部警邏《けいら》交通課長のとき、はじめて角栄に会い、その老成ぶりにおどろいたというが、後藤田も東大卒の秀才である。

角栄は、インテリを触発するふしぎな感覚をそなえていた。

十一月、十二月の予算折衝がはじまると、角栄の迅速な仕事ぶりは、目をみはらせるものがあった。

西村が財務帳簿、計算書を持ってゆき、角栄に説明すると、数分間で、

「おっ、わかった、わかった」

という。ほんとうに分かったのだろうかと、西村は心配になった。

だが角栄は確実に要点を理解していた。記憶力が抜群であるうえに、日頃から予算の内容を検討しつくしていたのである。

西村は、角栄を「田中エンサイクロペディア」(百科辞典)と呼ぶようになった。

角栄は予算折衝について、大蔵省から電話がかかると、西村を伴い出向いて、話をつけてくる。

田中は膝詰め談判のとき、凄い迫力を発揮した。大下英治著『闘争！ 角栄学校(上) 鬼才・田中角栄の究極の「権力と野望」』に、つぎの挿話が記されている。

角栄は電電公社の予算が希望通りとれなかったので、正示《しょうじ》啓次郎理財局長に膝詰め談判をした。

「電電公社の三十三年度予算は、財政投融資の予算を使わせてもらう。財政投融資の資金源は、郵政省の簡易保険、郵便貯金の積みたてだ。電電公社の投融資を郵政省へ預託しないで、どうするつもりだ。都合によっては電電予算は、全部郵政省で自主運用してもいい」

角栄の主張は、大蔵省の弱点をついていた。電電公社の予算は、要望の通りうけいれられた。昭和三十三年春、全逓が勤務時間にくいこむ職場大会をひらいた。

角栄は怒った。

「職員が勤務を怠け、組合運動をするとは何事だ。厳重な態度でのぞまねばならん」

郵政省は、組合員の一割に及ぶ、約二万二千人の大量処分を断行した。

このときの全逓書記長が、のちに社会党代議士となった大出俊であった。

全逓副委員長で退職処分をうけた宝樹《たからぎ》文彦は、角栄を「典型的な保守の人」であるといった。

「省内の派閥をあっという間に片づけ、われわれの処分もこれまでにない厳しいものを打ちだした。

まあ交渉のやりがいがある相手だった。『足して二で割ろう』とか、『タモトでニギリでいこう』といういいかたを、よくしていたな」

テレビの免許問題は、歴代郵政大臣がもっとも判断に苦しんだ難しい案件であった。NHK、正力松太郎の日本テレビが放送をはじめ、人気は急騰していた。全国からテレビ会社設立申請が殺到してくる。

そのすべてに、政界実力者、財界有力者の後援がからんでいる。

角栄は就任当初、記者団に語った。

「郵政大臣というと、伴食大臣のようにいわれてきたが、これはいかんね。テレビの免許問題にしても、国民生活に密接な関係のあることだ」

省内では、テレビの大量免許は技術上困難をともなうという判断が、有力であった。角栄は事務当局の反対を、大臣決定でくつがえした。競合する申請者を地域別にひとつにまとめ、郵政大臣案として合意をとりつけ、電波監理審議会に諮問して、一挙に民放三十七局、NHK七局に、予備免許を与えた。

その結果、各テレビ局は十分な技術力を発揮し、日本は一気にテレビ時代をむかえた。

角栄の予算分捕りの手腕は、世間の噂となってきた。昭和三十三年一月十九日の読売新聞はつぎのように報じた。

「田中郵政相は十七日夜、一万田《いちまだ》蔵相とヒザ詰め談判に及び、無集配特定局、簡易郵便局計三百局（増設）のマルマル獲得など、早々と復活折衝を終わった。

担当係官も、率直にいって予想以上と、郵政相の肩を持つ」

『ザ・越山会』には、郵政相の権限を生かし、地元に恩恵を施す角栄の活躍が語られている。

南蒲原《みなみかんばら》郡下田越山会長・坂井正治は三十三年、角栄に公衆電話設置を頼んだ。当時下田には学校と郵便局にしか電話がなかった。一週間後、大沢と新屋集落に電話をいれると角栄から返事がきて、あまりのスピードにおどろく。農集電話の全国第一号であった。

角栄は、郵政大臣に就任直後の昭和三十二年七月十五日付の新潟日報のインタビューで、新潟日報本社中野敬止編集局長と今後の方針について語りあっている。

田中　「陳情もたくさんうけたが、まったく白紙だ。平井前大臣からの事務引きつぎも握手だけで、むこうが作った書類は机の引き出しに入れてある。いいものはとる……私はタチワルべきはタチワリ、まかすべきはまかす。私はきょう大臣になってあすやめてもよい。それなら元大臣だ。留任しようとできるものではあるまいし、この点は非常にサバサバしている。省内のことは私が全責任をとるが、次官は局長の、局長は課長の、課長は課の責任を負えといっている。郵政の仕事もラジオやテレビなどあって、広く新聞社、財界人、有力者、おまけに衆参両議員が関係している。大へんなところだ。しかしほってはおけない。私は手をつけなければならん。さばいても文句は出る。だが、私は三十代だ。これで悪評をうけてあと十年遊ぶようになっても、まだいいと思っている。もちろん慎重にやる。ただ学者に盲従はしない。国家財政とみてどうか。有線放送との関係はどうかなどみる。行政責任は自分が負うものだから、最終的に政治家として自分がやる」

中野　「厄介なテレビ免許を一ぺんにバサッとやるというのは賛成だ」

田中　「のびればのびるほど混乱する。後世の史家は分かってくれる。一時は批判されようが、そんなことは立会演説のヤジと思えばいい。

ただテレビ免許をとるのは、金鉱を掘りあてたのと同じだ。金もうけのためだ、というのは困る。

現在免許を申請しているもののなかには、このような心得違いの者は一人もないと信じているが、今後このようなモウケ主義の便乗者があれば、断じて許さない考えだ」

中野「やるときはバサッとやる。あと十年は遊んでもいいというのは賛成だ」

中野局長は、ついで年々激化してくる国鉄（現ＪＲ）の労使紛争をめぐり労働政策についてたずね、角栄はいった。

田中「労働三法は改正してはならんという声もある。法律はいまのままでも改正すべき点がある。（中略）ほんとうに経済闘争のワクをこえて扇動しているものは、指名処分をやれ。むこうが法廷闘争にもちこむなら、こちらも法廷闘争専門機関をつくって対応すればいい。証拠が足りなくて法廷維持ができないというのは、管理者の責任である。組合に通謀しているから証拠が集まらない。

現業官公庁の幹部に、責任感がどこまであるかということです。東大卒業の年次だけで無能者をタライ回しに幹部に登用しているようなことでは、違法闘争も防げない」

角栄は、違法闘争をおさえられないような幹部は、断固処断すべきであるという。

田中「大体労働政策というものはだ。演説をぶった。カベにブツかった。仕方がない——じゃ政策にならん。

ところで私は労働組合というものに、かなりの好意をもっているつもりです。

認證式の翌日に、私は早速全逓の中堅の諸君と話しあった。女子もいれて八十名くらいかな。私は若いんだから、いらざる闘争はつとめてやらぬことにしている。ただでさえファイトが盛んだからだ。若いからといって、また素人だからといってナメてはいけない、とまずやった。それから全逓は名誉ある秩序正しい組合と承知している。全逓は二・一ストですでにハシカの免疫を得ているものと思う。

その名誉ある全逓が、経済闘争の範囲内で要求するというのなら、私も赤旗の前に立とうといった。

和気アイアイのうちに、帰りは拍手で送ってくれた。逃げ腰の大臣はざらだが、進んで組合へ出かけてきた大臣はめずらしいそうだ。

いいことばっかりいったようだが、君らのいうことも、国家の立場でガマンしてもらわねばならんこともあると、つけくわえるのは忘れなかった（笑）。

きょうの閣議で発言したのも、正は正、不正は不正でハッキリした労働政策をやろう、という趣旨なんだ」

中野　「大臣の若さ、情熱はヒシヒシと身に迫るほどよく分かる。おなじ世代の人たちをみて何か感ずることはありませんか」

田中　「若いといわれるのがイヤでね。ヒゲをたくわえているのは、年をごまかすためだろうという者がいるが、とんでもない。

学校時代は設計のアルバイトをやってきたんだが、服はボロボロ、無精ヒゲは生え放し、それで飯田橋の理髪店へいった。

いつのまにか眠って目をさましたら、無精ヒゲが鼻ヒゲにかわっていたというわけだ。まあ応援団長のヒゲの気持ちさね。いまはこのヒゲを落としたい心境だが、そうはいかない。娘に毎月いっぺん必ずきくことにしているんだが、ヒゲを落とそうかと聞くと大反対するんだね。幼いときからみなれているオヤジの顔が、大事なんだろう。

私は政界においては若いといわれていますがね。ふつう一般の人生からいえば、決して若いとはいえませんよ。

現に新潟あたりでは、四十男はトッツァというけど、アンニャとはいわん(笑)。大体二十五歳で大学を出ても、ふつうは五年間ぐらいパッとしない。それからせいぜい一カドになるとしても、十年はかかって四十になってしまう」

三十九歳の角栄は、自分の過ぎてきた道程をふりかえっていう。

田中「私の場合は十七、八歳から、二十二、三年間も実社会の経験を積んでいるんだから、世間なみのソロバンからいっても、もう早いとはいえないと思いますね。

若い時になんでもやる。そして経験者の知恵を借りればよい。そして早くから苦労を仕上げて、人生、死ぬ前の十年ぐらいはうんと楽しみたいものだと思っているわけです。(下略)」

中野「戦後とかく青年たちは働くことをイヤがる傾向があるようですが、豊富な経験をつむこと自体が、人間を大きくすることなんですからね」

田中「ただ若い時から逆境にあった者は、とかく委縮しがちなんです。(中略)苦労というものについてのよい例は『山登り』だと思う。山登りは好きで登る。じゃ炎天下の『田の草取り』はどうかというと、苦しさの経験からいったら、とても経験のない者には分からない。苦しいけれども山に登る。苦しいけれども田の草取りはやらねばならん。そこで気持ちの持ちようということが、事の成否に随分影響してくると思う。いまになってみれば、少年時代の苦労のお陰で、米価の高低ぐらいスグ分かります。半インテリにはなかなか分からんことでしょう」

中野「大臣の人生観を端的にいい現すと、どういうことですか」

田中「私の人生観は十代、二十代、三十代と分けて説明しなければならないですネ。まず十代では、『大仕事を遂げて死なまじ。熱情の若き日はまたと来はせじ』というので、これは小学校六年のときに年賀状で友人に書いた。二十代は、『末ついに、海となるべき山水も、しばし木の葉の下くぐるなり』だった。これが三十代になると、『岩もあり木の根もあれどさらさらと、たださらさらと水の流るる』とな。四十代はどうなるかな」

全国紙にほとんど露出のなかった角栄であるが、この頃から特集記事が増えてくる。東京新聞昭和三十二年七月十五日付には、政界の遠山の金さんというタイトルで角栄の日常生活が掲載されている。

「遠山の金さんは、裸体主義者である。この朝も五時起きして、越中一つで庭の散歩。大臣になったくせに相も変わらずお行儀が悪いのネ、と愛娘《まなむすめ》の眞紀子さんからハエたたきでおシリをたたかれた。庶民性は十分だが、吉田ワンマン時代ならこれだけで大臣をすべるところ。拙者は小菅のブタ箱から立候補届を出したくらいだからネ。これで構わん、と田中は簡単に割り切っている。この竹を割ったようなサッパリした人柄がまた新大臣の身上」

昭和三十二年七月二十一日付産業経済新聞の、新郵政大臣夫人田中はなさんの記事である。

「どちらかといえば小柄、やや小太りの体を濃い紫の着物に包み、ぽっちゃりとした色白のおは、とても四十七歳とは思えないつややかさ」

と夫人の容姿が紹介されている。

つづいて夫人の談話である。

「主人が若いですし、自分は年上で、その点最初は気をつかいましたのですが、主人は年のことなんかこだわる必要はないと言いましてね」

結婚の動機については、「まあ恋愛みたいな感じのもので……」。

夫人の亡父が土建屋であったので、夫人と角栄が手伝っているうちに、知りあいになったというようなわけである。

「でも、あのムコではございませんのですよ。わたくしは田中のところへ嫁にまいりましたのですから、その点はどうぞお間違え下さいませんように……。でないと主人にしかられてしまいます」

ムコだ、ヨメだとこだわるあたり、やはり最近のドライ型姉女房とはちがうようです、と、新聞は夫人に好意をむける。

だが、このとき角栄には辻和子、佐藤昭子という、子をもうけた仲の女性が二人いたといわれている。新潟にも深い仲の愛人がいたと噂された。

角栄は政治家としての出世街道を、度胸にまかせ駆けのぼってゆくが、女性関係が多彩で、しかもそれぞれの縁が長くつづいてゆくのは、彼が淋しがりやで情がふかく、さまざまのちがった性格の愛人を求めていたためであろう。

角栄は公生活と私生活をつかいわけ、常人では考えられない力量を発揮して、前途をきりひらいてゆく。

一流大学を卒業して、大企業の幹部になった、角栄とおなじ年頃の男たちの仕事とくらべてみると、その分量のちがいが分かる。昔の剣客は、「一合の器《うつわ》に一合の水、一升の器に一升の水」といって、人それぞれの天分の違いを指摘した。角栄の燃えさかる火炎のような獅子《しし》奮迅《ふんじん》のはたらきを見れば、彼が世に稀な異能の持ち主であったことが、あきらかである。

角栄は全逓信労働組合員の一割に及ぶ大量処分をおこない、強引にテレビの大量免許を断行した。

そのいっぽうで、世評にこまかく気をつかっていた。昭和三十三年二月九日付週刊朝日に、「歌う田中郵政大臣、タレントなみの演出ぶり」という見出しの記事が掲載されている。

佐藤昭子も日記にしるしているが、秘書官のメモ帳によれば、前年十二月、一月は録音、撮影、ナマ放送出演などの予定が赤インクでギッシリ記入してある。シメて十二回。これだけでも二日に一回の割になる。

その他にスポーツ・芸能新聞や業界紙の企画で河上敬子、中村メイコなどと「新春放談」もやり、浪花節のお師匠役玉川勝太郎と対談したりしている。

まさにマスコミの人気者らしい忙しさだ、と、週刊朝日（昭和三十三年二月九日付）は詳しく報じ、角栄のマスコミを利用するうえでの特徴をあげている。

このごろ、政治家は進んでテレビやラジオに出る。首相以下各閣僚も、それをこころがけ、つとめている。

電波行政の頂点に立つ郵政大臣が、他にぬきんでて放送事業に関心を持ち、ラジオ・テレビにしばしば出るのは格別おかしいことではない。

だが、田中郵政大臣は、岸内閣の閣僚の一人として、政治、行政面で正面きってマイクやテレビ・カメラの前に出るよりも、政治と直接にむすびつかない娯楽番組に、ゲストとして出演するので、話題になるのだと指摘している。

角栄はマスコミを通じ、国民大衆に親しく接し、電波を用いて人気を醸成することが、政治家の命脈を保つうえで、きわめて重要な要素であることを、鋭敏に察知していたのである。

角栄は大臣就任間もない昭和三十二年夏、NHKの「三つの歌」で、北海道札幌の女子高生と、「証城寺の狸囃子《たぬきばやし》」や「赤い靴」などの童謡を合唱、「エジンさんにつれられて……」と御れた。

愛嬌の新潟弁を聞かせた。そのあと、宮田輝アナウンサーにうまく浪曲「天保水滸伝」を誘われた。

曳田照治秘書の死によって、越山会の組織は変わった。国家老といわれた角栄の秘書・本間幸一は、新潟日報につぎのように語った。

「陳情や要望の窓口は、田中と曳田だったが、曳田の死後は山田（のちに江戸家老といわれた山田泰司秘書）が引き継ぐ。

山田は現地を細かく回って勉強した。越山会の仕事も曳田が東京でまかなっていた。それを引き継いでまとめあげるのが、のちの越後交通社長・田中勇ですね」

田中勇は、東急グループの総帥五島慶太の懐刀といわれる人物であった。のちに東亜国内航空社長になった田中勇が、語った。

「戦前、運輸逓信大臣を経験した五島が、歴代の郵政大臣を招待したことがある。そのとき、大臣だった田中と会って、バカに気に入ったと聞いている」

郵政大臣秘書官であった曳田照治は、昭和三十二年十二月八日、軍隊時代にわずらったマラリアが再発して、四十歳で亡くなった。

曳田は角栄の昭和二十一年選挙のときから協力して、きわめて有能な大物秘書として知られ、代議士秘書会長もつとめた。上田村（現南魚沼郡塩沢町）出身の曳田は、魚沼郡につよい影響力を持っている。

『ザ・越山会』に、越山会の青年部長をながくつとめ、のちに角栄のもとを去って衆院選に出馬した桜井新の談話が記されている。

「三十年、早稲田の学生だったころ、父にいわれて曳田の世話になった。曳田は、オレの手伝いをしろ。オレは、田中を大臣にしたら自分も衆院に出る、といって面倒をみてくれた。

田中が魚沼で強かったのは、曳田が将来出馬するつもりで必死にやっていたからだ。田中も偉大だが、曳田もすごかった」

敏腕な曳田は、角栄を押したてるために全力を傾け、造反の姿勢はまったく見せなかったが、その気になれば角栄の政治基盤を割りかねない、危険な気配をただよわせていた。

記者会見をしているとき、椅子に腰かけている角栄のうしろで、曳田が巨体の胸をそらせて立ち、悠然と扇子をつかっていると、彼のほうが大臣に見えたといわれる。

角栄は曳田の死を悼み、首相にかけあい、勲六等の勲章を贈らせた。だが、古い越山会員はいう。

「田中陣営のなかで、曳田は大きな役割を果たしているが、もっとも危険な存在であった。曳田が若くして世を去らんば、桜井分派とおなじことが、十何年か前に曳田によって起きていただろう」

曳田の没後、秘書官は山田泰司が起用された。角栄はその後、ますますメディアに進出していく。

正月五日の文化放送「浪曲歌合戦」に出場し、二十三日夜の日本テレビで葦原邦子と対談、「湯島の白梅」や「青い山脈」ですませようとしたが、結局は、得意の浪花節「杉野兵曹長の妻」（これなら婦徳涵養《かんよう》に役立つから、より教育的？　だというわけ）でないとケリがつかず、「やっぱりこのほうなら……」と自信のほどを見せたりしている、と行動を披露する週刊朝日の昭和三十三年二月九日付の誌面で、角栄の本心を語らせている。

「政治は要するに人間の問題に帰する。政治家が、堅い政治とはまったく別なものをやって、その人間的なあたたかさに大衆が親しみを覚える。そこで、関心の薄かった政治というものを考えてくれるのに、少しでも役立てばいい」

政権の中枢へ

総理大臣岸信介は、昭和三十三年四月二十五日、社会党鈴木茂三郎と話しあい、衆議院を解散した。

角栄は一年たらずで大臣の座を降りたが、在任中、庶民政治家として全国に名を知られた彼の政界における立場は、大きく変貌《へんぼう》していた。

同年五月二十二日の第二十八回衆議院総選挙では、八万六千百三十一票をとった。新潟三区では、それまで七万票に達した候補者はいない。角栄は独走態勢に入っていた。

これまでもたびたびふれてきた、新潟日報社編『ザ・越山会』は、ロッキード事件丸紅ルート一審判決の出る直前の昭和五十八年、一月から七カ月にわたり、新潟日報社取材グループが、緊急連載をした特集記事「〃風土と政治〃『越山会』」をまとめたノンフィクションである。

筆者は執筆に際し、さまざまの資料を読んだが、角栄が政界で異能を発揮し、頂点へ登りつめるまでの道程をたどるうえで、もっとも想像力を刺激されたのが、『ザ・越山会』であった。

そこには角栄の体臭がただよっていた。角栄は、われわれ普通の人間とはまったくちがう、狂乱怒濤の人生を送った。筆者は政治の世界には無縁、かつ無知であるが、角栄の足跡をたどってゆくと、政治家として巨大な存在になってゆくための動きが、くらやみのなかからしだいに判然と浮き出てくる。

いままで気づかなかった政治家の暗部が姿をあらわしてくると、なるほどそうであったのかと、胸が躍ってくる。

筆者は、角栄の功罪を問おうとしてこの小説を書いているのではない。日本の発展にきわめて重要な役割をうけもった、元総理大臣の人間性について、興味を持っている。

その心のひだを探るうえで、角栄の動きをきわめて詳細かつ的確に収集した資料として、『ザ・越山会』の右に出るものはない。

角栄のお膝元新潟県の地元紙でありながら、角栄の人格を白日のもとにさらけだす、生々しい資料をまとめた努力と成果は瞠目《どうもく》すべきものがある。

筆者はその内容を見のがせず、引用が多岐にわたる傾きを禁じえない。

長い年月にわたり、念入りな取材をかさねなければ、このような迫力はにじみ出てこない。

筆者は『ザ・越山会』の記録をたよりに、角栄の内部を探ってゆきたい。この著書がすぐれて光彩を放つのは、角栄のいわば「集金システム」についての重要な手がかりがあるからだ。

角栄に光が注ぎ始め、そんなときに必ず幸運な出来事が転がり込んでくる。当時、新潟三区では中越自動車、栃尾鉄道、長岡鉄道の三つの交通機関が競合していた。雪が降りつづける冬季は、除雪機械もなかった時代で、道路をバスが走れない。長岡市内はかろうじて走れるが、豪雪のときは全路線が運休である。

雪が影響する十二月から三月まで、会社の収益は激減する。豪雪地帯の魚沼地方では、冬になると従業員は解雇され、失業保険に生計を頼らねばならない。四月から十一月までの時期は、中越バスと長鉄が必死の競争をした。

長鉄は銀色、中越は黄色のバスで、いたるところの路線で乗客の奪いあいをする。中越バスが停留所にいると、長鉄バスはつぎの停留所に先回りして、客を乗せる。

料金の値下げまでして、客を集めようとする。十二円のバス代が、その日のうちに十一円、十円と下がることもあった。

三社の組合側が賃金・労働条件のきびしさから、まず組合を統一し、そのあとで三社合併を進めようと考えはじめた。

経営者側も深刻な状況を打開するためには、合併しかないと考えていた。三社のなかで経営内容がもっとも悪いのが長鉄であった。

一時は新潟交通へ会社を売却する話ももちあがった。新潟交通は、全国私鉄のうちでも超優良会社である。

中越地区に進出すれば、中越自動車、栃尾鉄道はとても太刀打ちできない。このため中越は長鉄を買収しようとしていた。

新潟県では、角栄の尽力によって、国道十七号線の難所であった三国トンネルが、三十四年六月に開通することになった。

そうなれば、新潟県は観光地として一挙に開発される。そのまえに布石を急ごうと、東武、西武、東急など、中央大手資本が地方私鉄の系列化を急いできた。外圧に屈するまえに、三社合併を急ぐ機運が生じた。

三十三年春、中越自動車社長の西山平吉と栃鉄専務の松本伊三郎が目白を訪れ、角栄に合併問題に協力してほしいと頼んだ。

「結構なことだ。やろうじゃないか」

角栄は応じた。話しあいの結果、合併後の社長には西山が就任するということになった。

三社合併の話しあいの裏面で、新潟県政界の黒幕といわれた、東邦物産社長の寺尾芳男が動いていた。

だが、西山平吉が突然合併に難色を示した。長鉄の資産内容が予想をうわまわって悪いというのが、反対の理由であった。

三社のうち、栃尾鉄道が黒字、中越自動車はわずかに黒字、長鉄は赤字がつづいているが、西山が反対した真因が何であるか分からない。

中越地方に約千百キロのバス路線を持つ中越自動車は、長岡—見附、長岡—悠久山間に約三十キロの鉄道を持っている栃尾鉄道より事業規模ははるかに大きい。

三社合併問題が流れて間もない、三十三年七月まで、七十三円で定着していた中越自動車の株価が、九月になると七十六円と、わずかに強含みとなった。

十月にはいるとたちまち九十円台にのせ、中越が急拠防戦買いに出たので、十一月には百円台に達した。誰かが中越乗っ取りをはかっている。

買い占めをすすめているのは、角栄と東急社長五島慶太、小佐野賢治であった。当時、東急常務であった田中勇は、五島に呼ばれ、命令された。(『ザ・越山会』)

「中越の株を取ってしまえ」

田中勇は、五島の指令が角栄の希望によるものであると知っていた。田中勇はいう。

「オレは、雪が大量に降るところのバス会社など儲からんと反対したんだ。だが社長の命令は絶対だ。しようがないから、部下を現地に派遣して株を集めさせた。角栄はオレとは別筋で動いた」

東急の買い占めは、中越社長西山の注意をひき寄せる、陽動作戦であったようである。

角栄は旧知の仲である小佐野の資金により、地元筆頭秘書・本間幸一が指揮して、社員、越山会幹部を動員、極秘のうちに買い占めを進めた。

西山は、長岡市出身の代議士大野市郎の後援者で、角栄を嫌い、角栄を誹謗《ひぼう》するポスターを、一夜のうちに市中の電柱に張りつけたこともある。

角栄は大臣を経験したとはいえ、長岡、三条の地元財界では、農村を基盤とする成りあがり者にすぎないと見られ、相手にされていない。

角栄は、地元財界を背景とする事業家の西山と、行動をともにする気は、はじめからなかったので、彼を追い落としにかかったのである。中越の株価が異様な値動きをはじめた頃、西山も対抗措置として自社株を集めさせていた。

だが、同社取締役・桜井貞一が、株を買いあつめる資金の融通を頼んだ相手が小佐野であった。中越追い落としのワナが、巧みにしかけられていた。

やがて買い占めの実態があきらかになった。中越自動車は必死で防戦をするが、もはや打つ手はなかった。

長鉄、中越の依頼をうけ、大量の中越株を手中にした小佐野は、それを五島慶太のもとへ持ちこんだ。かねて仕組んだ筋書きの通り、事は運んだ。

昭和三十四年五月、中越社長西山平吉は辞任に追いこまれた。株買い占めの全面戦争を挑んできた相手は、西山が太刀打ちできない巨大な資金力をそなえていた。

西山にかわり、中越自動車会長に角栄、社長に田中勇が就任した。

中越が東急系列会社になると、栃尾鉄道の買収にとりかかる。好業績の栃尾は合併を避けたかったが、大資本のまえに小規模な企業の存続は許されなかった。

栃尾鉄道は、東急から車輛の払い下げをうけたことがあり、交流があった。田中勇は栃鉄専務の松本友三郎と旧知の間柄である。

合併の協議は予想もしなかった順調な進展を見せ、三十五年春には、三社役員により合併委員会が設けられ、東急の意向のもとに動いた。

昭和三十五年十月十九日、長鉄、中越自動車、栃尾鉄道が合併し、新会社越後交通が発足した。

資本金五億七百五十万円、従業員千七百人。中越の公共交通を独占する企業が発足したのである。

中越合併のあと、角栄に強運の追風が吹いてきていた。三十四年八月十四日、彼が後ろ盾として頼んでいた、東急社長五島慶太が七十七歳の生涯を閉じたのである。

五島の没後まもなく、角栄が田中勇をたずねた。用件は、小佐野が五島に引き渡した大量の中越株を譲渡してもらいたいという要請である。角栄はいう。

新潟日報の記者の取材をまとめた『ザ・越山会』によると、「五島さんは、ワシが死んだら手元にある中越株をオレに譲ってくれると、約束していたんだ」という。

田中勇は、そんな約束を五島から聞いていなかったが、角栄のいいぶんを通さないわけにはゆかなかった。

無視すれば、今後どのような妨害をうけることになるか、知れたものではない。結局、中越株はすべて角栄の手に入った。

角栄は長鉄株と中越株をあわせ、越後交通の筆頭株主の座を獲得した。赤字の累積している長鉄が、栃鉄、中越と対等合併し、角栄が会長に就任した。角栄は社長に田中勇を指名したが、田中はことわった。

「旧長鉄系の連中が要職を占めることは分かっている。あんたらは何かと口出しをするだろう。飾りものの社長など、まっぴら御免だ」

角栄は田中勇に約束した。

「オレは一切口出ししないから、社長を引きうけてくれ」

田中勇は社長就任を承知したが、角栄にひとつだけクギをさした。

「貧乏会社に政治資金など出せやしない。あてにしてもらっちゃ困る。そのかわり、目白邸に越後交通東京出張所を置き、車一台を置こう。社業で使わないときは、あんたが自由に使っていい」


長岡駅前厚生年金会館で、越後交通合併記念祝賀会がおこなわれたのは、昭和三十五年十月十九日午後であった。

約三千人の参会者の目をひいたのは、六尺近い長身で、たこ入道のように頭に毛のない、年齢を見定めがたい異様な容姿の男であった。

彼が中越株買い占めの主役を演じた小佐野賢治であった。小佐野は新会社取締役に名をつらねていた。

越後交通の役員は、会長が角栄、専務が長鉄から出た関藤栄である。社長は田中勇、関とならび専務に就任した福田四郎は、東急系である。

栃鉄からは、副社長に松本友三郎が就任したのみで、中越系の役員はなかった。

この合併の主役が小佐野であることは、関係者の周知の事実である。新会社発足までに角栄がとった行動には、それまでになかったアクの強さがあらわれている。

角栄は、政界での大成をはたすための金脈づくりをはじめるうえで、小佐野と手を結んだ。どことなく明るさがただよう、牧歌的とさえいいたい、のびやかな一面をそなえていた角栄の動きが、このちしだいにくろずんだ策略のくまどりを宿すようになってくる。

彼の言動に、それまでには見せなかった押しつけがましさがあらわれてきた。

県会議員が、小出只見線全通期成同盟会会長の角栄に、只見線全通を陳情した。角栄はいった。

「天下の代議士に頼むんだ。分かっているだろうな」

といった。

小出町議会では、いくら献金するかと協議したが、反対意見が出て、結局出さなかった。

各町村では、予算外の交際費を捻出するとき、各課の一般管理費を、水増しして計上する。

係ごとに集めれば、まとまった金額になるが、角栄がいつになく高飛車な態度を見せたので、反発されたのである。

ここを勝負どころと見て、強引な一面をあらわしたのである。

越後交通会長となった角栄は、昭和三十六年五月、日本電建社長に就任した。

「家の月払い」をキャッチフレーズに、住宅月賦販売会社では最大手であった日本電建では、戦後ワンマン経営をしてきた平尾美保社長が、昭和三十四年に亡くなった。

『ザ・越山会』には、新潟出身の財界実力者、寺尾芳男が、三十五年から日本電建社長になったと記されている。

同社は含み資産は大きかったが、巨額の赤字を抱えており、寺尾は岡田新潟県知事の御三家である角栄、塚田十一郎、渡辺良夫の三人のなかから後継者を選ぼうとした。

塚田はめったに笑顔を見せない人柄で、渡辺は新聞記者あがり、角栄がもっとも会社経営に適しているというので、寺尾は渋る角栄を社長の座にすえたという。

だが、立花隆著『田中角栄研究・全記録』によれば、事情がかなり違っている。

日本電建平尾社長の没後、相談役であった寺尾芳男が、「遺言ですべて後事を托された」といいだし、社長になろうとした。

平尾前社長の後継者として、娘婿の平尾久太郎がいた。久太郎は寺尾が社長に就任するのに異議をとなえなかったが、重役たちは反対した。

それで、旧筆頭常務の松浦宏信が社長、寺尾は会長、久太郎は専務となった。平尾前社長が百パーセント保有していた株式は、会長、社長、久太郎、その他の重役で四等分した。

日本電建が巨額の赤字に悩んでいたとは、『田中角栄研究・全記録』には書かれておらず、加入者の掛け金四十六億円の現金と、一億円の土地の資産があったそうである。

そのような好調な内容では、内紛がおこって当然である。社内には、二つの勢力ができた。労働組合と、中堅幹部三十人ほどが集まってつくった刷新同志会であった。

この二つの勢力の裏面には、寺尾会長がいたといわれ、松浦社長は両勢力から攻撃をうけた。寺尾は他の重役の持ち株をいくらか譲りうけ、久太郎と組み、松浦社長を退任させた。

このように、寺尾はかなりの画策をおこなったあげく、社長に就任したが、まもなく病床についた。

寺尾は、かねてから日本電建相談役に、角栄と塚田十一郎、渡辺良夫を呼びこんでいたが、三人のうち角栄に自分の持っていた三分の二の株式をゆずり、後継者に指名した。

松浦宏信から寺尾へ、さらに角栄に社長職がうけつがれ、平尾前社長が百パーセント持っていた株の三分の二が、角栄の手に入るまでには、当事者にしか分からない複雑な事情があったと想像できる。

角栄は日本電建社長になると、営業目的のうちに、土地、建物の売買を加え、資本金を千五百万円から六千万円に増資した。

そのうえで、会社が預かっている月賦販売加入者の掛け金四十六億円を、土地と株の投資に活用することにした。

銀行から現金預金を担保に借金をして、土地と株を買う。現金は加入者からの預かり金であるので、客のものに手をつけないという形式をととのえたのである。

このような経緯は、『田中角栄研究・全記録』に克明に記されており、一読すれば、角栄の行動がそれまでにはない凄みと陰影を帯びてきた感を禁じえない。

経済社会で、法網をくぐって合法的にボロ儲けをやってのける、錬金術にたけた黒幕が、彼の背後について、影の形に添うように動きはじめたのである。

角栄が社長になると、さっそく鳥屋野潟《とやのがた》を買収してもらいたいという人物があらわれた。

新潟市の不動産業者、斎藤文誉という、七十歳の女性であった。

平興産社長の斎藤は、女傑といわれていた。東西に延びている新潟市は、南にある鳥屋野潟を埋め立てれば、大発展をすると見て、三十一年ごろから湖底地の買収に奔走していた。

鳥屋野潟は、周辺の泥湿田を耕作する農民たちが、湖底の土を取り、田圃をわずかでも高くする、ベト取り場となっていた。

湖底地の大部分は集落共有地であったが、二十三年に栗ノ木川排水溝が完成してのちは、ベトを取る必要がなくなっていた。

斎藤文誉は、鳥屋野潟周辺集落と買収交渉を進めていったが、資金難のためゆきづまり、東京に出て出資者を探した。

斎藤は、横井英樹と親しい金融不動産業者の、房総観光社長、鈴木一弘から資金援助をうけることに成功した。

買収は順調に進展し、斎藤は鳥屋野潟私有地湖底地約百四十ヘクタールのうち、八十三ヘクタールを手中にした。

だが三十五年十一月、鈴木は全国二十社の株を買い占め、恐喝した容疑で逮捕された。斎藤は資金に窮し、湖底地の税さえ払えなくなった。

鈴木は斎藤に湖底地の転売をすすめた。

「因縁つきの湖底地を買えるのは、田中角栄ぐらいのもんだ」

斎藤は角栄に湖底地購入を懇願し、角栄は三十六年九月に承諾した。

角栄は日本電建社長として鳥屋野潟と蓮潟を一億八千万円で買収した。埋め立てがほぼ完了していた蓮潟は、翌三十七年に、新潟県と新潟市に二億一千三百万円で売却された。田中にとって得な買い物であったと『ザ・越山会』に記されているが、あまりにも奇怪な事実に、眼を疑うような気分にさせられる。

角栄は十三・二ヘクタールの蓮潟と、鳥屋野潟の八十三ヘクタールを一億八千万円で買収してまもなく、蓮潟を売却した。それで買収資金を回収したうえに、三千三百万円の余剰利益を得て、鳥屋野潟は無償で得るという、手品のような結果を生みだした。

八十三ヘクタールといえば、一ヘクタール三千坪として二十四万九千坪である。角栄が実際に買収した地積は二十六万坪であった。庶民には絶対にできないボロもうけである。

このふしぎな買収劇の裏には、角栄のしかけたワナがあったと、『ザ・越山会』には記されている。

房総観光社長、鈴木一弘が恐喝で逮捕されたきっかけは、北越製紙の株を買い占めたことであるという。

当時、同社社長であった桜井督三は、角栄と深い交誼をむすんでいた。政財界に人脈を持つ鈴木は、金融不動産業界では大物であった。桜井も、政官財の人脈に頼って正面から戦った。鈴木は、資金源を切られたことで、息の根をとめられた。

鈴木に融資していた銀行に、強い指導によって融資をストップさせた大蔵官僚Tは、角栄にきわめて接近していた人物であるという。鈴木はのちに、毎日新聞の五十八年一月五日の紙面で語った。

「斎藤の斡旋で角さんに買ってもらったんだが、蓮潟だけのつもりが鳥屋野潟も一緒にされた。税金の支払いに追われ、担当常務が泣く泣く判を押したんだ」

角栄の支持者のうちにも、あのときは交渉相手をだまし、大もうけになったという声があるという。

角栄は三十六年七月十八日、自民党政調会長に就任していた。同二十八日付の読売新聞夕刊に政調会長に就任した際のインタビュー記事がのっている。

「それでですな、政調会長としてはですな、政調会というものは、どういうものかということを国民に知ってもらいたいわけなんですが、要するにこれは、国民と政府との間の交通巡査のようなもので、政調会を圧力団体の代弁者だという人がいるけれども、わたしはですね、真の圧力団体は国民である、と考えているんです」

角栄は表の顔と裏の顔を、たくみに使いわけていた。

角栄は、昭和三十七年一月末、日本通運が新潟交通株百五十万株を買いしめる椿事《ちんじ》がおこったとき、買い戻しに奔走した。

新潟交通は市の周辺で産出する天然ガスをバス燃料に使い、全国私鉄のうちでも屈指の高収益をあげていた。

日通は、国鉄貨物の輸送を本業としていたが、道路網の発達につれ、事業の見通しが思わしくなくなってきたので、国鉄依存の体質を変えようとしていた。

日通新潟支社は、対共産圏貿易の拠点として発展する地元のいきおいに乗り、全国四位の実績をあげている。

それで、積極的な営業方針をとることになり、地盤をかためるため、新潟交通、新潟臨港海陸運送の株を買い占めにかかったのである。

角栄はこのころ政調会長になっていたが、手元資金はまだゆたかではなかったので、買い戻し資金を東急から引きだしてきた。

この結果、同年三月の役員会で角栄が会長に就任し、日通から取締役、監査役を迎え、買い占め騒動は終わった。角栄は、ここで新潟交通支配の端緒をつかんだわけである。

おなじ時期に、信濃川河川敷売却問題がおこっていた。ここでも角栄は精力的に動く。二代にわたる疑惑の舞台である。

長岡市川西地区のシマ（中洲）は、三年に一度はかならずおこるという、信濃川の氾濫《はんらん》で運ばれる土が堆積《たいせき》して、できたものである。川西地区の上川西村の農民は、よく肥えた土質のシマ畑で野菜をつくり、そこでとれるごぼうの味は有名であった。

だが、シマ畑には、シマ虫と呼ばれるツツガ虫がいた。刺されると赤い斑点《はんてん》ができ、一週間ほどするとえそになる。そのあげく高熱がつづき、心臓マヒ、肺炎をおこして死ぬ。

他の地区の人々は、あの村には娘を嫁にやるなといった。

だが、貧しい農民たちは、死の危険を冒してシマ畑に耕作に出かけた。

昭和二十八、九年頃から、川西地区の農民たちは、長岡長生橋西詰の料亭「枕川楼」に陳情におとずれることをくりかえしてきた。長岡鉄道社長になっていた田中は、長鉄本社に近い枕川楼を、常宿にしていた。

角栄は、陳情をうけつけるとき、どのような難題でも、ことわろうとしなかった。陳情にくる人々は、彼の大事な支持者である。

農民たちは、若い角栄に地区の代表として、彼らの要望を国に通じてもらわなければならないという、高圧的な口調で陳情をした。

「シマ畑（信濃川河川敷）に、三年に一度は洪水がくるので、国から堤防をつくってほしい。堤防が完成したのちは、シマ畑を国に買いあげてほしい」

陳情は毎年つづいた。昭和三十三年、日産化学が川西地区に工場を建設した。

日産化学が工場用地として買収した上川西村の水田は、反（約三百坪）当たり六十万円という値がついた。農民にとって十年分の収益であったという。

工場用地買収に応じた農民は、日産化学の工員として、優先的に採用され、手元に余裕のできた農家では、耕運機を購入した。

ベト（土）地の耕作をするとき、耕運機はおどろくべき威力を発揮する。

シマ畑を耕作している農民たちの角栄に陳情する口吻《こうふん》がしだいに熱気を帯びてきた。

三十六年夏、それまで買い上げ交渉に応じなかった角栄が、急に態度を変えた。

角栄は河川敷農民の代表たちに、自分の私案を示した。

「築堤は本堤にならないだろう。まず霞堤《かすみてい》だなあ」

霞堤とは、長方形の一定の長さの堤を川にむけ、斜めにならべてゆく。その内部の土地は洪水の被害を直接に受けなくなるが、水の侵入を完全にまぬがれるわけではない。

「築堤ができあがれば、河川敷所有者は土地を出しあい、株式会社をつくり、地域開発を推進すればいいいじゃないか」

農民たちは、角栄の案をうけいれようとしたが、会社をつくる金がない。

そんなわずらわしい手続きをふんでゆくより、彼らは現金がほしい。売値はふつうの田圃とおなじ反十五万円であるという。

「そりゃ、高すぎるなあ。そんな話はとても応じられない。しばらく考えてみよう」

角栄は申し出をいったん蹴った。やはり見込みはないかと農民たちがあきらめかけた半年後、突然角栄から返事がきた。

「オレは政治家だから、直接土地を買うわけにはゆかない。そのかわり、適当な事業家を紹介しよう。土地の売値は、そちらで決めればよかろう」

昭和三十七年三月末、長岡市蓮潟村公民館で、河川敷農民代表者五十人ほどが集まった。河川敷（シマ畑）の売値について、相談するためでもある。

大勢で話しあううち、思いきって高値を角栄に吹っかけることにした。

「いいねっか。いうだけいってみよう」

河川敷内の民有地反当たり十五万円、九条地七万五千円、水面下の土地三万円を提示してみた。

ここで九条地とあるのは、明治期に国が水害防止のため無償で没収し、河川敷に指定した農地で、河川敷指定が解除できれば、旧所有者に払い下げられる。

角栄からは、なかなか返事がこなかった。

「やっぱり吹っかけすぎたんだ。水のつく土地が、あんな値のつくわけがねえからな」

農民たちは、なかばあきらめていた。

解除が可能であるとの見通しがたたないうちに、ふつうの田圃の半値で売れるものではない。ましてや水面下の土地に至っては、売値をつけるのが無理というものであった。

だが三十七年十一月、角栄からおどろくべき返事がとどいた。

「土地は申し入れ条件の通りに買おう。売却したあとも、さしあたってその土地で耕作してもいい」

農民たちは、自分の所有地をいくらかでも多くしようと、他人の境界内に侵入し、争論をおこしはじめた。

河川敷農民たちの土地を買収したのは、同年十二月に設立された室町産業という、資本金千二百五十万円の会社であった。

地元との交渉は、室町産業代理人である越後交通専務の関藤栄と、取締役の風祭康彦がおこなった。風祭は角栄の義弟である。

関たちは土地売買について、積極的な姿勢をとらなかった。

「売りたくない人は、売らなくていいよ」

そういわれると、農民たちはなお売り急いだ。

農民たちは三十九年から四十年のあいだに、あいついで河川敷を室町産業に売却した。契約者は三百一人、地積は七十四・六ヘクタール（約二十二万六千坪）であった。

三十九年四月の新潟日報には、建設省長岡工事事務所長・京坂元宇の談話として、

「堤防建設計画はあるが、実施は早くて十年先のこと」

と報じた。

堤防建設の可能性は、当分望み薄であるということである。農民たちは室町産業が河川敷買収のために、角栄が設立した会社であると知っていたが、高値で買いいれてもらったことをひそかに感謝しても、角栄に隠された意図があるなどと、疑う者はいなかった。だが、事態は農民たちの予想をうらぎって進展した。

早くても十年先と建設省の意向が伝えられていた堤防工事が、河川敷売買契約の終わって間もない四十年九月、開始されたのである。

「堤防ができるのはいいが、あんまり早すぎねえか」

「これは、いっぱいくわされたかな」

堤防工事は霞堤ではじまったが、途中から本堤工事に変更された。四十三年七月である。

建設相橋本登美三郎は、四十一年十月の国会答弁で「工事はあくまでも霞堤で、本堤にはし

ない」と明言しておきながら、突然の変更であった。

コンクリート製の本堤防建設とあいまって、四十二年六月には国道八号線のバイパスとして、長岡大橋が着工された。

シマ畑は浸水のおそれのない優良な土地に変貌した。付近の地価はたちまち値上がりしてゆく。反当たり十五万円の売値は、農民たちが精いっぱい吹きかけた高値であったが、地価の桁《けた》がちがってきた。

「俺たちは損をしたわけではないが、どうも田中にだまされたようだな。田中は橋と本堤ができるのを、まえから知っていて、俺たちの難題を嫌がりながらひきうけるふりをしたんだ」

だが、彼らは、角栄にだまされたと表立っていえる経緯ではなかった。

この作品は平成十三年四月三日から十四年六月二十九日まで「夕刊フジ」に連載された「田中角栄伝」を改題し、加筆修正したものです。

〈著者紹介〉
津本 陽　1929年和歌山県生まれ。東北大学法学部卒業。78年、「深重の海」で第七九回直木賞受賞。「夢のまた夢」で第二九回吉川英治文学賞（平成七年度）受賞。主な作品に『剣に賭ける』『則天武后』『暗殺の城』『生を踏んで恐れず』（いずれも幻冬舎文庫）『不況もまた良し』（小社刊）ほか多数。

GENTOSHA

異形《いぎょう》の将軍
田中角栄の生涯（上）
2002年11月10日　第1刷発行

著　者　津本 陽
発行者　見城 徹

発行所　株式会社 幻冬舎
〒151-0051 東京都渋谷区千駄ヶ谷4-9-7

電話：03（5411）6211（編集）
03（5411）6222（営業）
振替：00120-8-767643
印刷・製本所：中央精版印刷株式会社

検印廃止

Printed in Japan
ISBN 4-344-00256-3 C0093
幻冬舎ホームページアドレス　http://www.gentosha.co.jp/

この本に関するご意見・ご感想をメールでお寄せいただく場合は、
comment@gentosha.co.jpまで。